Curating Contemporary Art in Japan:
10 Questions to Help Guide
Your Approach

Sachiko Namba
難波祐子

現代美術キュレーター10のギモン

青弓社

現代美術キュレーター10のギモン　目次

ギモン2　展示の順番と見る順番は違うの？　49

ギモン3　何を展示するの？　74

ギモン4　作品って何？　99

ギモン5 日本人向けの展示ってあるの？ 121

ギモン6　赤ちゃん向けの展示ってあるの？　149

カバー・表紙・本扉の写真――『大気の入り江@逗子 FLANK（神奈川県逗子市）』（二〇一八年十月）
撮影：斉藤有美
taiki-no-irie.com
装丁――Malpu Design［清水良洋］

〈ギモン2〉坂本龍一＋高谷史郎『async-drowning』「設置音楽展」（2017年）会場風景
Photo by Ryuichi Maruo
©2017 commmons/Avex Entertainment Inc.

〈ギモン2〉第58回ヴェネチア・ビエンナーレ　リトアニア館『Sun & Sea（Marina）』
会場風景（2019年）
撮影：難波祐子

〈ギモン4〉リー・ミンウェイ『プロジェクト・手紙をつづる（The Letter Writing Project)』（1998年）
Photo Courtesy of Mori Art Museum, photo by Yoshitsugu Fuminari

〈ギモン9〉「宇佐美圭司　よみがえる画家」展会場風景（2021年）、東京大学駒場博物館
撮影：加治屋健司

はじめのギモン　現代美術ってなんでもあり？

　とある日曜日の昼下がり。お昼ごはんにパスタを食べたあと、当時中学三年生だった息子と珍しく、将来は何をやりたいかという話になった。そこでふと息子が「現代アートって簡単だよね」と言って、テーブルの上に出しっ放しにしていたパルメザンチーズの容器をひっくり返した。

「ほら、これ、なんか周り全部白いバックにして、白い台の上に置いて、ケースに入れて、その周りになんか紐みたいなの張って「入らないでください」とか「さわらないでください」って書いてさ、で、四角い紙みたいなのに「〇〇〇〇（自分の名前）」って書いて、「この作品は、現代社会をいままでの発想とは真逆の発想で捉えることを表している」とかって説明書けば終わりじゃん」

「ちなみにタイトルは？」

と聞くと、

「逆パルメザンチーズ」

（爆笑）

「え？　それって、でも、デュシャンじゃん」

と私。

「そーだよ、デュシャンが便器ひっくり返してアートって言うから、なんでもアートになったんじゃん。でも、デュシャンがそれもうやっちゃったから、現代アートって何やっても、面白くないよね」

「え？　あんたデュシャン知ってるの？　学校で習った？」

「いや、俺、観たもん。小学生のとき、美術館で観た」


はじめに断っておかなければならないが、息子は、親がアート関係の仕事に携わっているために確かに小さいときから現代美術の展覧会にあちこち連れ回されていたので、本人も知らないうちに、一般的な中学三年生と比べれば、常日頃からアートに接するという、ちょっと（いや、かなり）特殊な環境で育ったかもしれない。それにしても展覧会慣れしていた小学三年生の彼にとっても、便器がうやうやしく展示されていた光景はよほど印象的だったのだろう。いまでは展覧会を観に一緒に出かけることもすっかりなくなってしまった、自称「現代美術嫌い」のわが子から、こんなにいとも簡単に粉チーズ容器一つ使って現代美術の概念と展示について核心を突くような発言が飛び出すとは、正直思ってもみなかった。

＊

ここで、本題に入る前にマルセル・デュシャンって誰？と思った方のために、少し補足を。読者のなかには、マルセル・デュシャンの名前はともかく、この便器の作品を、どこかで見た覚えがある人も多いだろう。この作品が初めて登場したのは一九一七年のアメリカのニューヨークでのこと。出品料を払えば無資格・無審査で誰でも出品できる第一回アメリカ独立芸術家協会の展覧会に出品するため、市販の男性用小便器をひっくり返し、「R. MUTT」という作者の名前を示す署名と「1917」という制作年を入れて『Fountain（泉）』というタイトルを付けた作品が、出品料を添えて同協会宛てに送られてきた。だが、無資格・無審査を謳っている展覧会だったにもかかわらず、この作品は委員の間で議論を巻き起こし、展覧会オープンの一時間前まで話し合いはもつれこんだ。そして、会場になったグランド・セントラル・パレスの展示室に『泉』が置かれることはついぞなかった。この協会の主要メンバーの一人だったデュシャンは、このことをきっかけに同協会を辞任した。後日、この作品は同じくニューヨークにあった「291」という画廊で展示され、同画廊主宰者で写真家のアルフレッド・スティーグリッツによって撮影された。その写真には「R. Mutt による『泉』」「独立芸術家協会から出品拒否にあった」というキャプション（作品タイトルなどの説明書き）が添えられ、「リチャード・マット事件」と題した匿名の論説とともに雑誌「ザ・ブラインド・マン（The Blind Man）」に掲載され、広く知られることになった。この作品の制作過程や出品にいたるまでの経緯をめぐっては諸説あり、デュシャンの手によるものではないとする研究者もいるが、そもそもオリジナルの『泉』を直接目にした人はごくわずかであり、ここでその真偽を検証することは目的ではないので割愛する。もっとも、作品本体は現存せず、現在、世界各地の美術館で見られる『泉』は、五〇年以降、デュシャン公認で複数個が再制作されたレプリカであるのがこ

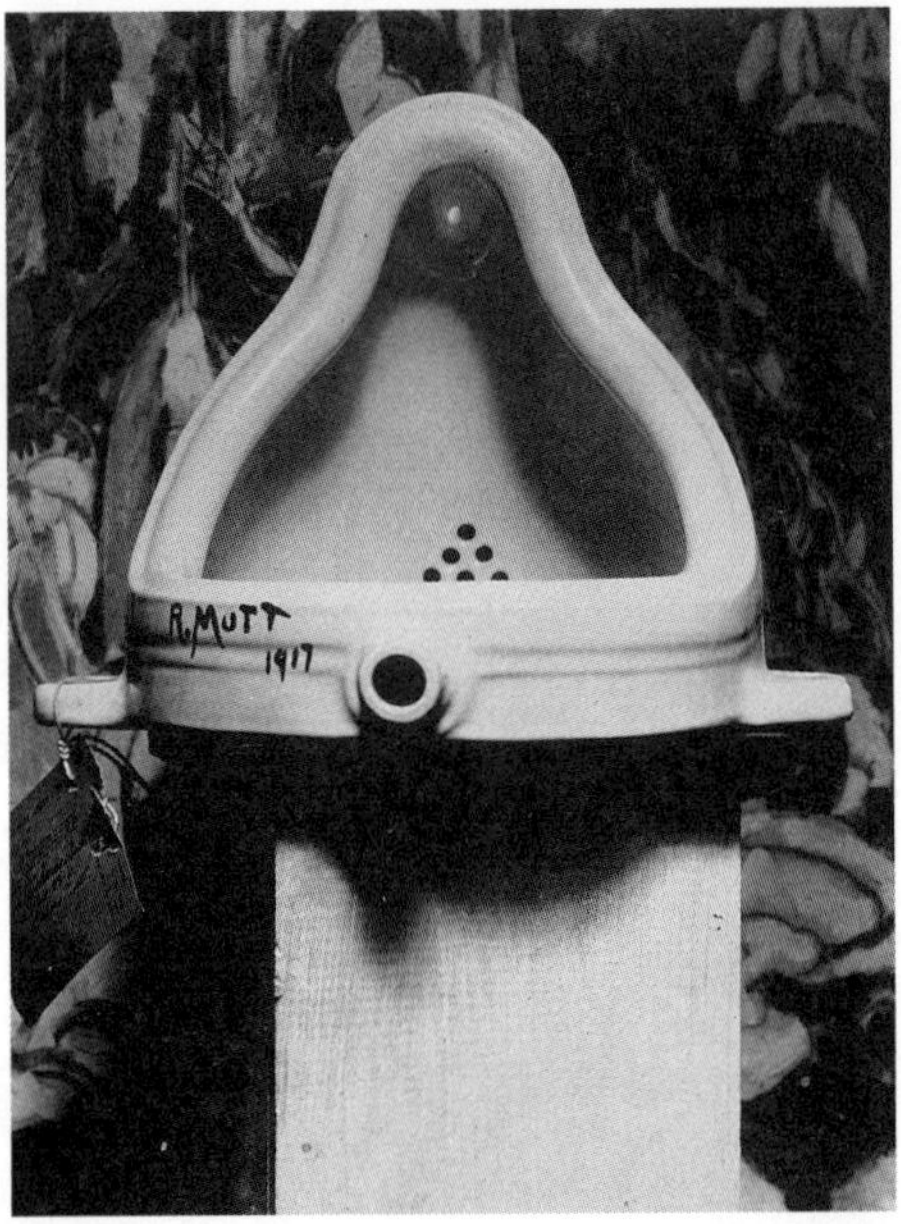

の話をどこまでもややこしくしているのだが、それも含めて非常にデュシャンらしいエピソードである。ちなみに現在は作品保護のために展示ケースに入れてある場合が多いが、オリジナルは剝き出しのまま展示してあった。

ともあれ、「便器がアートになる」という『泉』のインパクトは大きく、一般的には「デュシャン＝便器の人」のイメージが定着しているが、デュシャンが提示した大いなるギモンのなかで『泉』はほんの一例にすぎない。デュシャンは、この『泉』の前にも、既製品を用いた作品である

写真0-1　マルセル・デュシャン『泉』1917年
（出典：“File：Marcel Duchamp, 1917, *Fountain*, photograph by Alfred Stieglitz.jpg,” *WIKIMEDIA COMMONS*〔https://commons.wikimedia.org/wiki/File:Marcel_Duchamp,_1917,_Fountain,_photograph_by_Alfred_Stieglitz.jpg〕）

「レディ・メイド」のシリーズを発表している。大量生産されている複製可能な日用品を作品として提示することで、「美術作品は、作家自身の手によるものであり、唯一無二のオリジナルである」というそれまでの美術の固定概念を根底から覆した。また、美術作品といえば美しいもの、視覚的に魅力的なもの、という考え方に対しても、デュシャン自身が、視覚的に無関心と感じる既製品をあえて選択し、それをアートと呼んでしまえばなんでもアートになってしまう危険性を指摘することで、新しい思考を創出しようと試みた。これは、美術史のなかではまぎれもなく歴史的な一大事件だった。以来、デュシャンは「現代美術の父」と呼ばれ、いまだに多くの人が参照し語っている。

＊

さて、そろそろ本題の「逆パルメザンチーズ」に戻ろう。確かに息子が言うことは一理ある。デュシャン以上の歴史的転換を巻き起こすような現代美術の作品は、そうそう出てくるものではない。だが、あれから百年以上たった現在でも、現代美術は絶えるどころかさまざまな形態で発表され、多くの人々の目に届けられ続けている。作家たちはなんのために日々、作品を作り、それを発表するのだろうか。世界中の人たちがネットに投稿した写真や動画を瞬時に閲覧したり、シェアしたりすることができる世の中で、私たちはなぜいまだに美術館や展覧会などにわざわざ足を運んで、人が作ったものを観にいくのだろうか。

美術の展覧会を作る仕事にキュレーターという仕事がある。美術館では一般的に学芸員と呼ばれている仕事だ。作家が作品を作るように、キュレーター、あるいは学芸員と呼ばれる人たちは、展覧会を作る。なぜそのような仕事が必要なのだろうか。作家の作品をただ展示すればいいのではないのかと思う人もいるだろう。そもそも展覧会とはなんだろうか。また、美術館の展示ケースに入って、白い部屋に飾られて、作家名とタイトルと説明書きが添えられたら、便器でも粉チーズ容器でも本当にアートになってしまうのだろうか。そんなのは、単なる言いがかり、詭弁にすぎないのではないだろうか。絵画や彫刻を美術館や展覧会で観て、その「美しさ」に感動を覚えることには納得できても、便器をアートとして飾るような現代美術の展覧会は、「意味不明」と感じる人も多いだろう。一方で、近年、街なかなどでも展開する現代美術の芸術祭やビエンナーレ、トリエンナーレという名称で知られる大規模で国際的な展覧会は、どこも大人気だ。こうした現代美術の展覧会を作るキュレーターは、例えばフィンセント・ファン・ゴッホやクロード・モネの展覧会を作るキュレーターと何が違うのだろうか。そもそもキュレーターはなぜ展覧会を作るのだろう。現代美術の展覧会のことをひとたび考え始めると、次々に疑問が湧いてくる。

*

本書では、現代美術をめぐるさまざまな問いのなかでも、現代美術のキュレーターという仕事と展覧会という仕組みに着目し、キュレーターが展覧会づくりで抱きがちな、ささやかだが大切な問いの数々を10の「ギモン」として取り上げて、読者のみなさんと一緒に考えていきたい。

具体的な構成は次のとおりである。まずは、展覧会での空間・場所・時間軸をめぐる二つのギモンから始めていく。ギモン1「どこで展示するの？」では、展覧会を開催する場所としておなじみの美術館やギャラリーについて、その歴史的な背景などもみていきながら、美術館や展覧会という場所にまつわるギモンをあらためて考える。続くギモン2「展示の順番と見る順番は違うの？」では、実際の展示空間での作品の配置や、展示空間で鑑賞者が体験する時間についてのギモンを具体的な例をみながら検証していく。次に展示の主役である作品をめぐるギモン3「何を展示するの？」とギモン4「作品って何？」という二つのギモンを通して、作品が作品として成立する仕組みなどを再考する。そして今度は展覧会の観客をめぐるギモンに目を向け、ギモン5「日本人向けの展示ってあるの？」、ギモン6「赤ちゃん向けの展示ってあるの？」という二つのギモンを中心に、観客の文化・社会的背景と展示の関係を実例なども踏まえながらみていく。続いて、私たちが生きている現代と同時代に生まれる現代美術作品を収集するうえで生じる問いをギモン7「どうして美術館は作品を集めるの？」とギモン8「何を残すの？」を通して考える。そして最後に、これらのギモンの総括的な問いかけとしてギモン9「どうして展覧会を作るの？」とギモン10「キュレーターって何をするの？」の二つを通して現代美術の展覧会とキュレーターについて再び考えたい。

＊

こうした問いに一つずつ向き合うことで、これから展覧会を企画しようとしている初心者から、長年、展覧会に携わっている現役の学芸員とキュレーターまでの幅広い層が、展覧会とは何か、キュレーションとは何か、という古くて新しい問いにそれぞれの立場から考えていくための手がかりになってほしい、とひそかに期待している。またキュレーターに限らず、普段、展覧会や美術館にいくことに関心がある多くの方々にも、なぜ展覧会に私たちが引かれてしまうのか、キュレーターとは何をする人たちなのか、という根源的な問いを考えるきっかけになることを祈っている。デュシャンが投げかけた大いなるギモンへの応答になるかどうかは、はなはだ心もとないが、この小さなギモンの積み重ねが、バーチャルなモノづくりが席巻するいまの時代に展覧会というアナログなメディアで勝負するキュレーターの大「ギモン」をいま一度考えるための糸口になれば幸いである。

［補足］デュシャンの画像は著作権フリーで下記からダウンロード可能である。
"File : Marcel Duchamp, 1917, *Fountain*, photograph by Alfred Stieglitz.jpg," *WIKIMEDIA COMMONS* (https://commons.wikimedia.org/wiki/File:Marcel_Duchamp,_1917,_Fountain,_photograph_by_Alfred_Stieglitz.jpg)［二〇二三年十一月二十二日アクセス］

ギモン1　どこで展示するの？

1　作品と出会う場所

いま、この本を読んでくださっているあなたは、現代美術やキュレーターに少なからず興味をもっているにちがいない。あるいは、実際に何かしら現代美術関連の仕事に携わっているのかもしれない。そんなあなたの記憶のなかで、現代美術やキュレーターに関心をもつきっかけになるような展覧会や作品に初めて出会ったのは、どこだったのだろうか。

私の場合は、忘れもしない、一九九三年秋にロンドンで開催されていた「20世紀のアメリカ美術[1]」展だった。ごった返す主会場のロイヤル・アカデミー・オブ・アーツよりもいくぶん静かな郊外にあるサブ会場のサーチ・ギャラリーの最後のセクションの一角にその作品はあった。

暗い部屋の奥の壁一面に雪山と思われるモノクロ映像。鮮明ではなく、絶えずゴォーというノイズが入ってうごめいている。手前には小さな乳白色のキューブの部屋。内部は裸電球一つがともされ、粗末な木のテーブルと椅子が置いてある。テーブルの上には金属製の水差しと水が入ったグラス。そしてその簡素な部屋とはおよそ不釣り合いな小型モニタに映し出されたカラーの山の静止映像。部屋に近づくと、スペイン語と思われる言語で何かをささやき続けている男の声が聞こえる。ふと脇にある説明に目がとまる。「ビル・ヴィオラ」という聞き慣れないアーティストの名前。作品タイトルは『十字架の聖ヨハネの部屋』（一九八三年）。

「スペインの詩人で神秘家の十字架の聖ヨハネ（一五四二―九一）はカトリック教会の弾圧を受け、一五七七年に九カ月間幽閉された。独房には窓がなく、背を伸ばして立つこともできなかった。頻繁に拷問を受けながらも、聖ヨハネはのちに代表作になる詩の多くをこの期間に書いている。そこでは愛、恍惚、暗い夜道、市壁や山々を超えた飛翔などが詠われている」[2]

その説明を読み終わるやいなや、まるで雷にでも打たれたかのようにビリビリとした衝撃が全身に走った。ささやく声は聖ヨハネの詩の朗読であり、小さな部屋は彼の独房、山の映像は彼が詠った世界だったのだとその瞬間すべてが一度につながって、「十字架の聖ヨハネ」という時代や国を超えた一人の人物と、それを作品として表現したアーティストの美しい精神世界が、突如として自分のなかに広がったのだ。当時の私は、現代美術のことなど何一つ知らない社会人類学専攻の学生だった。だが、これは尋常な事態ではないと思い、とにかく現代美術に関わっていかなければと半ば勝手な使命感にも似た思いから、将来進むべき道を決めてしまった。もちろん、それからすぐに現代美術に関する職に就けたわけではなかったのだが、このたった一つの作品に出会ったせいで（おかげで？）、極端な言い方かもしれないが、ある意味、人生が変わってしまった。事実、あれから四半世紀以上たったいまも、こうして現代美術やキュレーターに関する仕事に携わっているのだから。

＊

と、こんな個人的な昔話に付き合っていただいたのにはわけがある。それは、これから本書を通して現代美術やキュレーターをめぐる数々のギモンを考えていくうえで、こうした個々人の私的な実体験や現場での実践などが、それらの問いに対して思考を開くための糸口になることが珍しくないからだ。なかでも特に展覧会での現代美術作品の鑑賞体験は、ときに強烈な原体験になって人々の心を動かす。それは、美術館や展覧会が、きわめてアナログなメディアであることと深い関係があると思われる。

そこで最初のギモンは、作品を展示する場所、アートと出会う場所についてあらためて考えてみたい。あなたにとって作品が展示してある場所といえば、はじめに浮かんでくるのは、やはり展覧会を開催している美術館やギャラリーなどの屋内の展示室だろうか。それとも、街なかや屋外などで作品展示を展開する芸術祭やビエンナーレ、トリエンナーレと呼ばれる大型の国際展だろうか。あるいは最近は、特に若い世代を中心に映像作品をスマートフォンの動画サイトなどで視聴するケースも多いだろう。そもそも作品を展示する場所は、作品にとってどういう意味をもつのだろうか。

美術館の展覧会で作品を展示することは、自宅に好きな絵を飾ったり、いつでも好きなときにスマホで動画を見たりするのと何が違うのだろうか。これから続く10のギモンの入り口として、ここではまず、古典的とも言える美術館の展覧会という枠組みのなかで作品に出会うことに着目し、美術館と展覧会を一つの装置、あるいはメディアとして捉えて考えてみよう。というのも、作品展示をする場所として王道とも思える美術館や展覧会のあり方も、その役割や定義は、時代によって大きく変遷してきたし、いまもなお変化しつづけているからである。と同時に、その変遷を経てもなお、美術館も展覧会も作品と人が出会うためのメディアとして機能しつづけていることも考えてみたい。

2　美術館と展覧会の歴史的背景

それでは、美術館・博物館と展覧会の歴史を簡単におさらいしてみよう。現在おなじみの美術館や博物館という施設は日本では社会教育のなかに位置づけられ、そこで展示される作品や資料の数々は、広く公衆が享受することが当たり前になっている。だが、美術の長い歴史のなかで、いまのようなあり方で展示物を誰でも見ることができるようになったのは、比較的最近の話だ。ただし「美術の歴史」といっても、往々にして語られるのは、洞窟壁画に端を発し、古代メソポタミア、エジプト、ローマ、ギリシャ、中世のキリスト教美術、ルネサンスを通って近代へと単線的に発展していく西洋美術史であることは、頭の片隅に入れておく必要がある。西洋中心（より厳密に言えば西欧とアメリカ中心）だった単線的歴史観に基づく美術史（history of art）に異を唱え、アジアやアフリカ、中南米などの複数の美術史（histories of art）がグローバルな文脈で盛んに語られ始めたのは一九九〇年代になってからである。そのことは現在の現代美術とキュレーションを取り巻く状況を考える際に非常に重要な視点なので、本書でものちほど追って詳しくふれていきたい。だが、美術館（博物館）や展覧会は、西洋美術史とそれを支える西洋中心の言説と歴史観のなかから生まれてきたものなので、ここでは便宜上、西洋美術史の潮流のなかで、これらの成り立ちの歴史的背景をみていこう。

はじめに人々が美術と出会った場所としては、それを「美術」と定義するかどうかは議論の余地が大いにあるものの、西洋美術史的に言えば、スペインのアルタミラやフランスのラスコーで知られる旧石器時代のものとされる洞窟内に描かれた壁画、いわゆる洞窟壁画[3]だろう。それらは鑑賞目的というよりも、呪術的・宗教的な意味合いが強いものだったと考えられている。そのあとも長きにわたってさまざまな神に捧げられるもの、それらを祭るもの、儀礼や儀式、布教に用いられるものなど、宗教的な目的でさまざまな美術品が作られた。棺に納められる副葬品だったり、神殿を飾る神々の彫像、教会の祭壇画や天井画、色鮮やかなステンドグラスに描かれた『聖書』の物語など、美術は人々を日常生活から別の世界へと誘うような特別な場所で接することができるものだった。あるいは、時の権力者の富や名誉を彩るような宝剣や装身具、さらにルネサンス期になると、パトロンになる王侯貴族や商人など富裕層のために描かれる肖像画や贅沢な調度品の数々が彼らの邸宅や宮殿を飾ってきた。

また十五世紀から十八世紀の大航海時代には、ヨーロッパの王侯貴族などの間で、アジアやアフリカ、アメリカ大陸、オセアニアなどの「未開の」地から珍しい動植物の標本や剝製、化石や鉱物、部族の仮面や彫像、絵画、陶磁器などを集めた「驚異の部屋」(ヴンダーカンマー〔Wunderkammer〕、同様のものにイタリアのステュディオーロ〔studiolo〕など)と呼ばれる私的なコレクションが形成されていくことになる。これらの「驚異の部屋」のいくつかが現在の博物館の前身になっていて、例えばイギリスの大英博物館は、医師であり収集家だったハンス・スローン卿のヴンダーカンマーのコレクションがもとになっていることで知られている。またフランスのルーヴル美術館は、もともと宮殿だったが、フランス革命後に王室所有の美術コレクションが国有財産化されて美術館として広く一般に公開されるようになった。ルーヴルの例のように、市民革命などを経て、もともとは特権階級の人々しか観覧できなかった美術品の多くが、博物館や美術館として現在は誰もが享受できるものになっているケースも多い。

コレクションを公開する展覧会は、先にふれた美術館や博物館の前身になるヴンダーカンマーなど、王侯貴族の邸宅などの一室でごく限られた人々を対象に実施していた先例がある。そのほかルーヴル宮でも王立絵画彫刻アカデミーの会員らの作品をサロン・カレ(方形の間)という一室で展示する通称「サロン」が革命よりも少し前の一七三七年から実施されている。だが、現在のようにより多くの一般の人々に向けてそのときどきの最新の物品や美術工芸品を紹介するようなスタイルの展覧会は、主には産業振興を目的とする博覧会の歴史がもとになっていると言えるだろう。

市民革命や産業革命を経て、各国の優れた物品などを陳列する国際見本市的な博覧会である万国博覧会（国際博覧会。通称、万博）が十九世紀から世界各地で開催されるようになり、現在にいたっている。特に万博は、各国の技術や芸術の粋を世界に紹介して国の威信を内外に知らしめる、国威発揚的な性格をもっていた。一八五一年の第一回にあたるロンドン万国博覧会では、クリスタル・パレス（水晶宮）と呼ばれる当時類を見なかった鉄骨とガラスという素材を駆使した巨大な建物が建造され、主会場になった。また一九〇〇年のパリ万博（第五回）ではエッフェル塔が建てられ、その姿は現在でもパリを象徴する観光名所になっている。日本も第二回のパリ万博（一八六七年）で江戸幕府・薩摩藩・佐賀藩が出展するなど早くから参加していた。一八七三年のウィーン万博からは明治政府が日本として公式参加して日本庭園や神社を造ったほか、浮世絵や工芸品、名古屋城の金のシャチホコなどを展示した。またパリやウィーンでの万博への日本の出展が、いわゆるジャポニスムと呼ばれる日本ブームを巻き起こすなど、こうした万博の開催は、各国の優れた最新の技術や文化を直接肌で感じる機会になった。

日本国内でも博覧会は明治に入ってから盛んに開催され、内国勧業博覧会が東京（上野）のほか京都や大阪でも開催された。また同じく東京・上野公園で開催された東京府勧業博覧会で建てられた建物が竹之台陳列館として美術関係団体に貸し出され、明治から大正期にかけて美術展会場として用いられた。政府主催の美術振興策として組織された文部省美術展覧会（通称、文展。現在の日展の前身）も同館で開催された。このように近代になってから、欧米を中心にいまの博物館、美術館、展覧会の原型ができ、日本も明治政府が近代化を果たすなか、その動向を受けて美術館や展覧会という装置を取り入れてきた。ちなみに、「美術」という言葉は江戸時代まで日本語にはなかったが、ウィーン万博の出品分類をきっかけに官製訳語として日本で用いられ始めたことは、日本での美術史の形成や言説を考えるうえで非常に興味深い(4)。

3　現代美術と出会う場所としての美術館——第二次世界大戦以降の展開

ここまで美術館や展覧会の歴史的な成り立ちを概観してきたが、これらの近代的な枠組みは、第二次世界大戦後に美術の中心がパリからニューヨークに移り、現代美術が登場することで、さらに大きな変遷を遂げていくことになる。ところで現代美術あるいは現代アートという言葉だが、それに対応する英語である「Contemporary Art」を文字どおり訳せば、正確には「同時代美術」になる。一方でモダン・アート（Modern Art）は、英語でも日本語でも時と場合によって近代美術と現代美術のどちらも意味することがあり、その用法が混在している。そもそも何をもって近代（モダン）と定義するかは、ポスト・モダン（Post-Modern）の思想が一九七〇年代末から八〇年代にかけて広まったことも手伝って、いまだに議論が尽きない。したがって、近代美術と現代美術の区分についてもさまざまな見方があり、一概には言えないのだが、本書では便宜上、第二次世界大戦以降の美術を現代美術としながらも、それ以前に制作された美術（近代美術）も、状況に応じて現代美術の文脈のなかで論じていくことにしたい。

現代美術と出会う場所として、最も象徴的な存在が、一九二九年に開館したニューヨーク近代美術館（通称ＭｏＭＡ〔モマ〕）だろう。アメリカは、西洋美術史的観点からみれば、国としての歴史が浅く、ヨーロッパ諸国に比して当然ながら西洋美術品のコレクションが乏しい状況にあったが、二十世紀に入って個人の資産家が中心になったフィランソロピー（慈善活動・社会貢献）の精神に基づいた新しい美術館が次々と誕生した。[5] なかでもＭｏＭＡは、名称こそ「近代」美術館だったが、アメリカの圧倒的な経済力と文化政治戦略の後押しを受け、近・現代美術、特に同時代のアメリカ美術を牽引しながら、新しい美術館像を国内外に発信していき、後続する世界各国の近・現代美術館のモデルになった。日本でも五二年に開館した東京国立近代美術館は、ＭｏＭＡをモデルに構想されたことで知られている。[6]

4　ホワイト・キューブの衝撃

ＭｏＭＡが果たした役割とその影響は多岐にわたるが、まずはそのなかでもＭｏＭＡの代名詞ともいえる「ホワイト・キューブ（白い立方体）」と称される独特の展示空間に着目してみよう。ホワイト・キューブとは、その名のとおり、装飾性を排した白い壁で四方を囲まれた中立的な展示空間である。そこでは、作品と作品の間隔がほどよくあけられ、鑑賞者が一つひとつの作品とゆったり向き合える展示が基本とされた。このような展示方法は、それまで主流だったルーヴルのサロンのように、壁に額装された絵が上から下までびっしりと何段にもなってかけられるスタイルや、華美な装飾が施されて調度品に囲まれた部屋の壁に絵画を配する展示とはきわめて対照的だった。

サロン式の展示からの脱却は、ＭｏＭＡのホワイト・キューブの登場以前から、さまざまなアプローチが試みられていた。[7] 例えば十九世紀半ばには、ロンドンのナショナル・ギャラリーでは、展示する作品点数を減らして、目線の高さが中心になるように展示されるようになった。また、それによって生じた壁の余白部分にも注目が集まり、当時の科学的な根拠に基づいて、金色の額縁と寒色系の落ち着いた色彩で描かれる絵をよりよく見せるために、既存のグレーがかった緑色の壁を赤く塗り替えた展示室が登場した。二十世紀のはじめにはボストン美術館がこれまでの展示方法を見直し、作品を選択して、多くても二段がけまでにして絵画を展示したり、展示にふさわしい壁の色や照明についての検討を重ねた。さらに一九三〇年代にはアメリカだけでなく、ナチス・ドイツ政権下でも美術館の展示室の壁を白くする試みがなされていた。だが、こうした先駆的な試みをはっきりと一つの展示スタイルとして確立して規範を示したのは、ＭｏＭＡにほかならなかった。

初代館長アルフレッド・バーによる一九三六年の「キュビスムと抽象美術（Cubism and Abstract Art）」展は、バー自らが作成した有名なダイアグラム（系統図）に集約されているように、十九世紀末のポール・セザンヌや新印象主義からパブロ・ピカソらのキュビスムを経由して抽象美術へと帰結していくモダン・アートの系譜を示す歴史的な展覧会だった。四百点近い絵画や彫刻、ドローイング、家具などを展示したこの展覧会はＭｏＭＡが示す二十世紀の美術史観を体現するものであり、その展示方法にもバーの明確な意図が示されていた。壁は白く塗られ、敷物などがない剝き出しの木の床やタイルの床の部屋が用意され、照明の装飾は外されてシンプルなものとされ、作品一つひとつをよく鑑賞できるように配置された。[8] この展覧会で確立されたホワイト・キューブでの展示方法は、三九年に現在の場所に開館したMoMAでも踏襲された。

MoMAのホワイト・キューブは、当然ながら人々の鑑賞体験にも大きな変化をもたらした。ホワイト・キューブという装置は、人が作品と出会うためだけにある特別にしつらえた空間であり、そのなかに身を置く鑑賞者は、ただひたすら作品と向き合うしかない。おそらく現在、美術館というと多くの人が思い浮かべる、大きな白い空間で静かに作品と対峙する、というイメージはこのMoMAのホワイト・キューブの展示のイメージだろう。それはホワイト・キューブについて論じたブライアン・オドハティーが指摘しているように、中世の礼拝堂のような厳格なルールにのっとって構成された「下界から閉ざされ、窓は塞がれ、壁が白く塗られ、天井が光源となる」[9] 空間である。そこでは「アートは、それ自体の生を得る」[10]。ホワイト・キューブは、作品と人が出会うための物理的な環境を創出しただけではない。ホワイト・キューブは、日常性から切り離された人工的で、時間の経過も止まったような神聖な雰囲気で満たされた空間のなかで、人々が作品との対話を通して自己の内面を見つめ直し、自分と作品との関係性を厳かに構築していくような精神的な環境をも作り出したのだ。いまでも美術館というと、「静かに鑑賞するように」注意を受けることが多いが、それは、ほかの人の鑑賞の妨げにならないように、各自が作品とじっくり向き合えるように、という配慮が感じられる。このような鑑賞態度は、MoMAのホワイト・キューブの典型的な遺産と言えるだろう。

このように美術館という装置は、MoMAのホワイト・キューブの登場によって、人々が個々の作品と静かに対峙する空間へと大きく変貌した。またホワイト・キューブという白い入れ物は、中身の作品が入れ替わることをたやすくし、企画展や特別展など、展覧会ごとに内容が異なる展示にも柔軟に対応できる空間を作り出すことに貢献した。さらには、あるホワイト・キューブから別のホワイト・キューブへと展示を移行することも可能にして、ある美術館で仕立てた展覧会を別の美術館へと巡回させることも容易になった。また作家側も、美術館や画廊のホワイト・キューブで展示されることを前提として作品を制作することが格段に増えたと言えるだろう。

5 美術館で展示されるものとは――MoMAの役割を中心に

MoMAのホワイト・キューブは、人々が作品を鑑賞するための特別な環境を整えて、美術館での作品展示のあり方に対する一つの規範を示した。ここであらためて美術館で展示されるものを考えるにあたり、先のオドハティーが述べた次の言葉に着目したい。「そのような環境〔ホワイト・キューブの環境：引用者注〕では灰皿は聖なるオブジェに、近代美術館に置いてある消防ホースは美学的な謎に見えてしまう[11]」。確かにホワイト・キューブの閉ざされた展示空間は、そこにあるものをなんでも作品に変えてしまう魔力をもっている。だが、灰皿でも消防ホースでも、はたまた粉チーズ容器でも、美術館の展示室に置かれたらなんでも作品になるほど事は単純ではない。ましてや、サロン式の展示と違って、ホワイト・キューブの一室に展示できる作品の点数は極端に絞られることになったため、むしろその部屋に何をどのように展示するかを決めるキュレーターの役割は飛躍的に重要なものになった。何をもって作品とし、それをどういった文脈の展覧会で美術館に展示するかという点でも、MoMAのアプローチは革新的で戦略的であり、特筆に値するものだった。

MoMAは、大富豪でフィランソロピー活動に熱心だったロックフェラー一族の一人ジョン・ディヴィソン・ロックフェラー二世の妻であるアビー夫人と、彼女と交流があった上流階級のリリー・P・ブリス、コーネリアス・J・サリヴァン夫人という三人の女性によって現代美術を展示する施設として創立された美術館である。アビー夫人は一九二〇年前後から現代美術に興味をもってアメリカ人画家の作品を購入し、コレクションしていくだけにとどまらず、生活に困窮した芸術家たちの生活費や留学資金なども積極的に支援した。初代館長のバーは、絵画や彫刻だけでなく、建築、デザイン、映画、写真など当時は美術館で展示されることがなかったジャンルの作品も独立した部署を与えて作品を収集し、展覧会を企画する、という画期的な試みを導入した。つまり、MoMAは美術館に展示することで、これまで美術の文脈で扱われることがなかったもの、作品とされていなかったものを作品として定義づけて美術史のなかに位置づけ、次々とその指標を示していく存在だったのである。美術館における作品収集とその展示に関しては、ギモン7でもまた詳しくみていきたい。

MoMAのホワイト・キューブ空間での作品展示を考えるうえで最も象徴的な存在だったのが、ジャクソン・ポロックやマーク・ロスコなど抽象表現主義と呼ばれる作家たちの作品だった。彼らは一辺が三、四メートルもあるような巨大なキャンバスの画面いっぱいに抽象的な線や色面を描くことで、それまでのヨーロッパにはない新しい表現を生み出していった。彼らの作品は、ホワイト・キューブの白い空間に非常によく映え、ホワイト・キューブで盛んに展示されるようになるにつれて彼らのキャンバスもそれに呼応するかのようにますます巨大化していった。

抽象表現主義は、もともとは第二次世界大戦の戦火を逃れてヨーロッパからアメリカに移り住んだアーティストたちの影響を受けて、一九四〇年代中盤からニューヨークを中心に始まった芸術運動である。先に挙げたポロックやロスコのほか、ウィレム・デ・クーニング、バーネット・ニューマンなどがその代表格だが、彼らを一躍スターの座に押し上げたのは、クレメント・グリーンバーグやハロルド・ローゼンバーグなどの美術批評家だった。当時のアメリカは、東西冷戦のただなかにあった。ソビエト連邦では、抽象絵画に代表されるモダニズムを批判し、社会主義リアリズムを奨励していた。これに対して、新しいアメリカの美術を象徴するような抽象表現主義は、それらのプロパガンダ的な具象絵画や彫刻とは一線を画し、個人の作家の自由な表現を推奨するものとして、対抗するにはうってつけの存在だった。

アメリカで抽象表現主義がもてはやされた一九四〇年代から五〇年代にかけてＭｏＭＡの理事長(President)を務めたのは、アビー夫人の息子で、のちにニューヨーク州知事、アメリカ合衆国副大統領まで務めたネルソン・ロックフェラーだった。彼は、抽象表現主義の熱心な支援者として知られていた。彼自身のプライベートなコレクションだけでも二千五百点以上の抽象表現主義の作品があったが、さらにそれを上回る数千点もの作品がロックフェラー財閥の傘下にあるチェース・マンハッタン銀行の各建物のロビーや壁面を飾った。グリーンバーグらの理論的なサポートでお墨付きを得た抽象表現主義は、バー館長の下でＭｏＭＡでも積極的に収集・展示された。また、当時の社会主義勢力に対して情報戦を展開していたＣＩＡ（中央情報局）が、文化面でもアメリカの優位を示そうと強力な後押しをした結果、ＭｏＭＡの抽象表現主義を中心とするコレクションをヨーロッパで巡回展として紹介する国際プログラムが五〇年代に盛んに実施された。五六年までに同プログラムによる三十四の展覧会が実施され、そのなかには国際展で現在でも権威あるヴェネチア・ビエンナーレへのアメリカ館参加も含まれていた。[12]

6　美術館の外へ――一九六〇年代から七〇年代の芸術運動

ここまでみてきたように、ＭｏＭＡは当時の社会背景も手伝って、二十世紀のアメリカ美術の言説を生成して国内外にそれを発信するうえで中心的な役割を果たした。同時にＭｏＭＡのホワイト・キューブは、現代美術作品を展示・鑑賞する一つの規範を確立し、圧倒的な影響力をもって国内外に普及していった。だが、当然ながらこうしたＭｏＭＡやニューヨークを中心とするアメリカ美術界に対する反動も大きく、一九六〇年代から七〇年代にかけてさまざまな芸術運動が巻き起こった。[13]これらの芸術運動は、美術館という制度そのものを批判するようなプロジェクト型の作品や、美術館の展示空間を飛び出して屋外で展開される作品などを生み出し、絵画や彫刻という従来の展示室でおとなしく鑑賞するタイプの美術作品のイメージを大きく塗り替えていった。

一九六〇年代のベトナム戦争の時代には、アメリカだけではなく世界各地で反戦運動や体制批判が展開した。そのような社会背景のなかで、美術の世界でも、権威的な既存の美術館制度や美術界、商業主義や資本主義のシステムにのっとって作品を売買する商業画廊を批判するような表現活動が活発化した。こうした一連の表現活動はインスティチューショナル・クリティーク（体制批判）と呼ばれた。例えば、七四年にロサンゼルスのクレア・コプリー・ギャラリーで開催されたマイケル・アッシャーの個展では、ギャラリーの展示スペースとオフィススペースを隔てる壁が取り払われ、展示スペースには何も置いていないという奇妙な空間が出現した。見えるのは、奥のオフィススペースで働くギャラリストとそこにやってくる顧客だけであり、これはつまり彼らの商取引の様子そのものを見せる作品だった。またドイツ出身のハンス・ハーケは、七一年にニューヨークのグッゲンハイム美術館で個展を開催する予定だったが、そのなかで展示を予定していた三つの作品が、美術館側から問題視されることになった。そのうちの一つ、『シャポルスキー・マンハッタン不動産ホールディングス：一九七一年五月一日時点でのリアル・タイムの社会システム（Shapolsky et al Manhattan Real Estate Holdings, A Real Time Social System as of May 1, 1971）』（一九七一年）という作品は、ニューヨークのシャポルスキー不動産によるハーレムなどの低所得者層居住地域での不正な疑いがある不動産取引や物件に関する二十年にわたる情報を、百四十二枚の写真と図表などで示したものだった。この作品は「不適切である」と見なされて、ほかの二作品とともに展示を取り下げるよう館長からハーケに要請があった。だがハーケがこれを拒否したため、開催の六週間前に展覧会が中止されることになった。これはグッゲンハイム美術館の理事会メンバーのなかにシャポルスキー一族と関係が深い人物がいたためと言われたが、詳細が明らかにされることはなかった。[14] ハーケはまた七〇年にＭｏＭＡで開催された「インフォメーション」というグループ展で、入り口に投票箱を設置し、当時ニューヨーク州知事選挙で再選を目指していたベトナム戦争支持派のネルソン・ロックフェラーに州知事選で投票するかどうかを来場者に投票させる作品を展示した。このようにインスティチューショナル・クリティークの作品は、その多くが批判の矛先としている美術館やギャラリーなどの展覧会の現場そのもので実践されていた。それは美術館や展覧会というメディアそのものが、これらの作品の成立には不可欠であること、また美術館や展覧会はそうした批評を実践する場として機能するきわめて優れたメディアであることを図らずも実証することになった。

また同じく一九六〇年代から七〇年代にかけては、反戦運動のなか、科学への不信や自然回帰への思想が高まった。その結果、大資本に支えられた商業主義的な美術館やギャラリーに抗して、ランド・アート（Land Art）やアースワーク（Earthworks）と呼ばれる、美術館のホワイト・キューブ空間ではなく、屋外の大自然など、ある特定の場所でだけ成立するようなサイト・スペシフィック（Site-Specific）な作品の制作が、アメリカやイギリスを中心に多くの作家によって実践された。アメリカでは、マイケル・ハイザーがネバダ州にある峡谷の断崖の岩石丘をブルドーザーで掘削して長さ約四百五十七メートル（千五百フィート）、幅約九・一メートル（三十フィート）、深さ約十五・二メートル（五十フィート）の巨大な溝を出現させた『ダブル・ネガティブ（Double Negative）』（一九六九年）を作ったり、ウォルター・デ・マリアがニューメキシコ州の雷多発地帯の平原に四百本のステンレス鋼製のポールを避雷針として立てて、稲妻が落ちる現象そのものを作品化した『ライトニング・フィールド（The Lightning Field）』（一九七七年）を発表した。またロバート・スミッソンは、ユタ州のグレートソルト湖という塩湖に石と土で長さ約四百五十七メートル（千五百フィート）、幅約四・五七メートル（十五フィート）の渦巻き状の堤を築く『スパイラル・ジェッティ（Spiral Jetty）』（一九七〇年）を制作した。イギリスでは、リチャード・ロングが野山での歩行を重ねることでできた草原についた一本の線の痕を写真に収めたり、その場にある石を集めて円形に配置するなど、歩行の痕跡を作品として発表した。同じくイギリスのハミッシュ・フルトンは人里離れた山中などを歩き、その過程を詩のようなテキストと写真で記録して表現するなど、歩行という行為そのものを作品化した。

このように従来の美術館での展示に抵抗する作品は、ホワイト・キューブを前提として制作される絵画や彫刻とは異なる多様な形態をとるものが大半を占めることになった。あらかじめ完成した作品をもってきて展示するのではなく、その場で制作して設置（＝インストール）し、展示後は解体するインスタレーションと呼ばれるスタイルの作品や、アイデアやコンセプトを重視してテキストによる指示（インストラクション）など非物質的な表現を展開したコンセプチュアル・アート、一過性の出来事を作品とするハプニング、イベント、パフォーマンスなど形が残らない作品、あるいは音楽や舞台など異ジャンルと交錯するような作品など新しい表現が台頭した。また一九七〇年代には、主流だった美術館や商業画廊に対して、オルタナティブ・スペース（alternative space）と呼ばれる代替のスペースが次々と誕生し、これらの実験的な表現を積極的に紹介した。

さらに、ヴェネチア・ビエンナーレなどと並んで国際展の代表格の一つであるドイツのミュンスター彫刻プロジェクトが一九七七年に始まった。この展覧会では、単なる野外彫刻展の域にとどまらないユニークな取り組みをおこなっている。屋外や街なかに彫刻作品などを配置するこのプロジェクトは、展覧会が始まる数年前から参加作家がミュンスターにきて、歴史的な背景などを綿密にリサーチし、地元の人々と関わり合いながら、サイト・スペシフィック（その場にふさわしい、場に特有、の意）な作品を制作し発表することを特徴としている。通常の国際展は、ビエンナーレ、トリエンナーレ（それぞれ、二年に一度、三年に一度、の意）という名が示すとおり数年に一度開催されるものが大半だが、ミュンスターでは十年に一度という気の長いスパンで実施され、多くの作品が初回開催からミュンスターの街にそのまま残されたり、発展的に継続されたりしている[15]。

一九六〇年代から七〇年代にかけて多様な表現と発表の場を求めてきたこれらの新しい美術の動向に対して、美術館やギャラリー側もすぐに呼応した。結果的に、一度は美術館の外へ出たインスタレーション作品やパフォーマンス作品、あるいはランドアートやアースワークなどの作品でさえ、美術館やギャラリーの展覧会に取り込まれていくことになった。例えばスイス人キュレーターのハラルド・ゼーマンによって六九年にスイス・ベルンの美術館で開催された「態度が形になるとき　作品―概念―過程―状況―情報（Live in Your Head: When Attitudes Become Form: WORKS - CONCEPTS - PROCESSES - SITUATIONS - INFORMATION）」展は、コンセプチュアル・アートやインスタレーションの作品を美術館内外のスペースで紹介した伝説的な展覧会になった。マイケル・ハイザーは、建物解体用の鉄球をクレーンで吊ってスイングさせて美術館前の舗道を破壊し、リチャード・セラは、熱して溶かした鉛を展示室の床に撒き散らした。ダニエル・ビュラン（ビュレンヌ）は、彼のトレードマークの白とピンクの縦縞のポスターを無許可で街なかに貼りまくって逮捕された。この型破りな展覧会では、美術館は実験室と化し、おおよそ考えうる「美術館での展覧会」の常識を根本から覆した。こうした美術館での作品展示のあり方は、後述する九〇年代以降、時代背景の激変や作家自身の制作態度の変化も相まって加速度的に変容していく。

7　一九八〇年代の絵画ブームの再燃

一九八〇年代に入ると、七〇年代に盛んだった禁欲的で難解なコンセプチュアル・アートやミニマル・アートなどへの反動から、情動的・具象的な表現を主とする絵画である、新表現主義（ニュー・ペインティング）と呼ばれるアートがドイツ、イタリア、アメリカなど世界各地で同時多発的に出現した。アメリカのジャン＝ミシェル・バスキアは、ストリートのグラフィティのようなタッチで、人物などをキャンバスに描き、人気を博した。またドイツのアンゼルム・キーファーは、ナチス・ドイツの負の歴史や『旧約聖書』などに登場する神話や伝説などから着想を得た歴史的・神話的主題を、巨大な画面に油彩のほか鉛、砂、藁などの素材を重ねて描いた。これらの新表現主義の絵画ブームによって、国際的な美術市場が活性化され、ホワイト・キューブでの展示の主役に絵画が返り咲くことになった。

8 一九九〇年代の参加型作品への注目

さらに一九九〇年代に入ると、空間全体を作り込むような体感型のインスタレーションや、観客が参加することで作品が成立するような参加型の展示が美術館でも盛んに取り上げられるようになった。また、こうした動きは、美術館だけでなく、ビエンナーレやトリエンナーレなどの国際展や芸術祭でも同様にみられた。こうして美術館や展覧会は、静かに作品と対峙する場所にとどまらず、作品を体感したり作品に関わり合ったりするような場所としても機能しはじめた。

リクリット・ティラヴァーニャは、一九九〇年代の初頭にニューヨークの画廊で『パッタイ』という作品を発表した。これはタイ風焼きそばを作ってその場にきたゲストに振る舞い、展覧会の会期中には、食べたあとの様子もそのまま展示するという作品だった。ブエノスアイレス生まれのタイ人で外交官を父にもつティラヴァーニャは、幼いころから移動が多い生活を送ってきた。そのような海外での生活のなかでたまにタイに帰って祖母の家に集まった親戚や友人に振る舞われるタイ料理と、料理を囲みながらそこで交わされた会話や出会いは特別なひとときであった。こうした人々とのやりとりそのものを作品化したのが『パッタイ』だった。また「無題（デモ・ステーション）」と題されたシリーズでは、美術館や国際展の会場内に仮設の舞台が設置され、展覧会の会期中その舞台を使って地元の人たちがバンドの演奏や演劇などのプログラムを企画する活動そのものを作品として発表した。

絵や彫刻のようなモノとしての作品ではなく、人と人が交わるコミュニケーションを生み出す場や、人との関係性・社会性そのものをアート作品として発表するティラヴァーニャのようなアーティストたちが、一九九〇年代の初頭から相次いで登場した。これをフランス人キュレーター・美術批評家のニコラ・ブリオーが九八年に『関係性の美学（Esthétique relationnelle/Relational Aesthetics）』という本にまとめて発表し、リレーショナル・アートとして注目を集めた。

人との関係性や社会性について考えたアートは、一九六〇年代・七〇年代のアーティストもすでに実践していて、そのこと自体はいまに始まったことではない。例えば七〇年代にゴードン・マッタ＝クラークは、ニュージャージー州にあった一軒家をチェーンソーで真っ二つに切断した『スプリッティング（Splitting）』を作品として発表した。またニューヨークのソーホー地区で営利を目的としないアーティストがシェフを交替で務める『フード（Food）』というレストランを運営し、そこでさまざまな人たちが繰り広げる交流そのものを表現活動にした。ただし、これらの実践の背景にあったのは、当時の資本主義や美術館というシステムへの批評であり、政治色が強いものだった。これに対して、九〇年代以降のリレーショナル・アートの作家たちは、あくまでも自分の私的な体験や個人的な動機などから、人と人とがつながる場としての美術を探求しようとしていた。こうした傾向は、六〇年代や七〇年代のインスティチューショナル・クリティーク的な実践が抗ってきた体制や国家、あるいは資本主義という当時の確固たるシステムが、九〇年代以降、東西冷戦の終焉と多文化主義やグローバリズムの台頭などの時代の変化にともなって軒並みその権力を失い、美術館や展覧会自体の役割や立ち位置も大きく変わったこととも深く関わっていると思われる。こうした九〇年代以降の現代美術作品の発表の場は、かつての批評の対象だった美術館や画廊、あるいはヴェネチア・ビエンナーレなどの国際展という展覧会の枠組みが主流になっている。近年、美術館でもこうした実践を受け入れるべく、街なかや地域コミュニティと美術館をつなぐようなプロジェクト型の展覧会を展開するなど、新しい試みを次々と柔軟に実施している。

9　メディアとしての展覧会、美術館

ここまでみてきたとおり、美術館あるいは展覧会は、近代化の過程で現在の原型が生まれ、さらにMoMAのホワイト・キューブの登場によって、美術館の展覧会という枠組みのなかで作品と鑑賞者が出会う環境が確立されていった。興味深いのは、こうしたホワイト・キューブに反旗を翻し、多様化していった現代美術作品も、美術館や展覧会の文脈に結局は取り込まれ、新しい美術の歴史を生み出しつづけていることである。これは、常にいまあるものに対しての反動や批評から新しい美術を生み出そうと二項対立的に発展してきた西洋美術史の性格によるところも大きいのではないかと思われる。一方でMoMAのホワイト・キューブは、現在でも健在であり、現代美術界を牽引する存在の一つであることに変わりはない。つまり、美術館だろうが屋外での芸術祭や国際展だろうが、こうした展覧会というメディアは、ある意味でホワイト・キューブのように外界から遮断さ

れた作品と出会うための異次元空間を生み出す装置として、いまも変わらず機能しているのだ。そしてこれらの出会いを言説化し、美術の文脈に位置づける生きたメディアとして、展覧会は、そのときどきの時代背景や美術理論を巧みに反映し、ときには自己批評もいとわずに変化しつづけている。これから続くギモンでは、ここまで少々駆け足でみてきた展覧会というメディアと、それを作り出すキュレーターについて、もう少し時間をかけて、それらを構成する要素一つひとつをより深く、そして具体的に掘り下げてみていきたい。

注

(1) "American Art in the 20th Century: Painting and Sculpture, 1913-93," Martin-Gropius-Bau, Berlin, 8 May–25 July 1993; Royal Academy of Arts, London, 16 Sept. –12 Dec. 1993.

(2) ヴィオラ自身による作品解説。ビル・ヴィオラ『ビル・ヴィオラ はつゆめ』木下哲夫/近藤健一訳、淡交社、二〇〇六年、五四ページ

(3) 二〇一八年二月二十二日の「Science」誌など最近の研究では、洞窟壁画の起源はこれまで想定されていたよりもさらに数万年もさかのぼった約六万五千年前にホモ・サピエンス(現生人類)ではなく、ネアンデルタール人が描いたとされている。

(4)「美術」の初出には諸説があるが、いずれも明治時代のこの時期に翻案されたものである。明治以降の日本での美術の受容については、北澤憲昭『眼の神殿——「美術」受容史ノート』(美術出版社、一九八九年〔ブリュッケ、二〇一〇年〕)をぜひ一読していただきたい。

（5）アメリカのフィランソロピストたちによる美術館の創設に関しては岩渕潤子『大富豪たちの美術館——アメリカ・パトロンからの贈り物』（〔PHP文庫〕、PHP研究所、一九九五年）に詳しい。また美術館の成り立ちは同じく岩渕潤子による『美術館の誕生——美は誰のものか』（〔中公新書〕、中央公論社、一九九五年）を参考のこと。

（6）戦後から現代にいたるまでの日本での学芸員とキュレーターの歩みとその変遷については、拙著『現代美術キュレーターという仕事』（青弓社、二〇一二年）を参照されたい。

（7）Abigail Cain "How the White Cube Came to Dominate the Art World," Jan. 24, 2017（https://www.artsy.net/article/artsy-editorial-white-cube-dominate-art）［二〇二三年十一月二十二日アクセス］

（8）MoMAの過去の展覧会は現在すべてアーカイブ化され、オンラインで見ることができる。例えば「キュビスムと抽象美術」展は下記のウェブサイトから閲覧できるので、参照されたい。"Cubism and Abstract Art"（https://www.moma.org/calendar/exhibitions/2748?locale=ja）［二〇二三年十一月二十二日アクセス］

（9）Brian O'Doherty, *Inside the White Cube: The Ideology of the Gallery Space*, University of California Press, 1999, p. 15.

（10）*Ibid.*, p. 15.

（11）*Ibid.*, p. 15.

（12）Frances Stonor Saunders, "16 Yanqui Doodles," in *The Cultural Cold War: The CIA and the World of Arts and Letters*, The New Press, 1999.

（13）なお、ここで概観している一九六〇年代から七〇年代の芸術運動については、紙幅の都合上、あくまでも欧米中心の流れに沿って述べている。したがって、例えば五〇年代から美術館の枠組みを超えて活動してきた日本の実験工房や具体美術協会などの重要な動きについて言及していない。近年、こうした日本をはじめとする非欧米圏の美術史の再編成が活発化していて、いずれ西洋美術史という枠組み自体も解体され、世界の美術史が再編されていくのだろう。

（14）詳細はバルセロナ現代美術館（ＭＡＣＢＡ）の収蔵作品解説を参照のこと。"Shapolsky et al. Manhattan Real Estate Holdings, a Real-Time Social System, as of May 1, 1971, 1971"（https://www.macba.cat/en/shapolsky-et-al-manhattan-real-estate-holdings-a-real-time-social-system-as-of-may-1-1971-3102）［二〇二三年十一月二十二日アクセス］

（15）近年は、彫刻やインスタレーション作品だけではなく、映像やパフォーマンス、プロジェクト型の作品も登場するなど、時代とともにミュンスター彫刻プロジェクトのあり方も柔軟に変化している。ギモン４のジェレミー・デラーの事例を参照のこと。

ギモン2　展示の順番と見る順番は違うの？

1　展示を取り巻く「時間」とは

　ギモン1では、作品と出会う場としての美術館や展覧会という枠組みを、その歴史的な背景も踏まえながら、特にホワイト・キューブという物理的な空間がもたらすコンテクストに着目しながら考えてみた。ギモン2では、展示を取り巻く「空間」から「時間」の問題へと視点を移して、一本の展覧会が作り出す時間の経過について考えたい。

　さて、展示の「空間」についてはある程度イメージが湧くものの、展示の「時間」と言われると、すぐにはピンとこないかもしれない。そこで、本題に入る前に、展覧会というシチュエーションでの時間の経過について少し頭の準備体操をしてみよう。展覧会で個々の作品を鑑賞するために費やす時間や展覧会場での時間の過ごし方は、例えば映画館で映画を一本観たり、コンサートやライブで音楽を聴くときの時間の経過と何か違うだろうか。またスマホなどでドラマや映画、あるいは「YouTube」の動画を見たり、ネット配信された音楽を聴く行為と比べるとどうだろうか。何が展覧会特有の時間の経過を形成しているのだろうか。ここでは、まずは展覧会の順路の話を手がかりに、展示を取り巻く「時間」にまつわるギモンを解きほぐしてみよう。そしてそのあとで映像や音楽、パフォーマンスなど特定の時間軸をもつことを特徴にした作品の鑑賞について、具体的な例をいくつか挙げながらみていきたい。

2　展覧会場の順路はなぜ必要なのか

手始めに、展覧会に出かけるときのことを思い起こしてみたい。あなたは、展覧会場に着いたら、普段どのような手順を踏んで展覧会を見て回っているだろうか。会場入り口などで入手できる会場マップや作品リスト、あるいはオーディオ・ガイドなどは活用しているだろうか。それとも、そういうものはわずらわしいので、何も持たずに自由に見て回る派だろうか。逆にガイドツアーなどに積極的に参加して、解説を聞きながら展示室を回る派だろうか。また、展覧会場にいったん足を踏み入れたら、基本的には引き返したり人の流れに逆らったりせずに、とにかく最後まで順に展示を見て進むことのほうが多いだろうか。

マップやガイドなどを使わず一人で勝手気ままに展覧会を見たとしても、大半の人は特に不便を感じることなく入り口から出口へとたどり着くが、そのことに特に疑問を抱く人はいないだろう。だが、よくよく考えてみると、たいていの展覧会は入り口から左回り、あるいは右回りになるように作品を配置し、展示室から次の展示室へと一筆書きで順に巡るかのように「設計／デザイン」されていることがわかる。まず入り口から最初の展示室に入る前、あるいは最初の展示室に入ってすぐのところなどに主催者による「ごあいさつ」パネルが大きく掲示され、展覧会の概要や関係者への謝辞などが述べてある。そして多くの場合、展覧会は章立てになっていて、各章のはじめには、その章がどういったものなのかを解説するウォール・テキストと呼ばれる説明書きがパネルやバナーなどで掲示されていて、そのテキストのすぐ隣から最初の作品を見るように自然に促される。場合によっては、このウォール・テキストに番号まで振ってあって、会場マップや作品リストと対応していることも多く、自分がいま、展覧会全体のうち、どの部分を見ているのかが把握できるようになっている。また通常は、部屋のなかの回り方を示したり、一つの部屋から別の部屋に移る際の方向を示すために、要所要所に「順路」と書かれた表示が矢印付きで掲示されていて、観客が迷わず順を追って展示を見ることができるように配慮されている。さらに出口には、「出口」という立て看板などが出ていることも多く、ご丁寧に「再入場できません」と注意書きが添えられていることも少なくない。もちろんそれでも迷ってしまう人には、看視係が優しく順路を示してくれる。こうした展覧会場の順路はそもそもなぜ必要なのだろうか。観客が好きな順番で展示を見ると何か不都合が生じるのだろうか。

3　順路は誰が決めるのか

展覧会での作品展示の順序や順路、章立ての仕方を決めるのは、基本的にはキュレーターの仕事だ。同じ展示室でも、どのような順路にするかは展覧会ごとに変わる館も多く、入り口から出口までの各展示室の回り方は、右回りになることもあれば左回りになることもある。また複数階に展示室が分かれる場合は、上の階から順に下りてくるようにすることもあれば、下から順に上の階へと上がっていくようにすることもある。章立ての仕方は、展覧会の性質によってさまざまである。例えば、一人の作家の回顧展であれば、時系列でその作家の初期の作品から晩年までを時代ごとに区切って展示することが多い。あるいは、グループ展の場合などは、何かしらのテーマ性をもたせて、テーマごとに章を設けて、同じテーマに沿った作品をまとめて展示したりする。いずれにせよ、通常は展覧会を通してなんらかのストーリーを語るように構成するのが展示の鉄則である。また、このストーリーの展開を支えるロジックが順路と密接に関わってくる。実際には、会場の物理的な制約（壁の位置や床の対荷重、天井高、間口のサイズなど）や予算、安全面の規制、あるいはアーティスト自身のこだわりなど、さまざまな要因によって展示できる作品やその順序・順路の設定も左右される。したがってそのロジックが破綻しない程度に各方面と調整していくのがキュレーターの腕の見せどころでもある。こうした美術展のキュレーションでは、とかく作品の見え方／見せ方など、空間的・視覚的な構成やその効果に気を奪われがちである。展示空間での作品の物理的な配置の仕方や展示方法、展示構成、部屋の仕様、あるいは展示台や展示ケースなどの什器の仕様に関しては、前著『現代美術キュレーター・ハンドブック』（青弓社、二〇一五年）に詳しいので、ここでは割愛したい。今回のギモンでは、空間ではなく時間の問題に目を向け、キュレーターが設計する展示の順路が生み出す時間、作品自体がもつ時間、そして鑑賞者が展示室内で体験する時間、という三つの時間の関係に焦点を当てて考えてみたい。

4　開かれた美術館と主体的な鑑賞者の登場

まるで宇宙船が舞い降りたような円形のガラス張りの白い建物で知られる金沢21世紀美術館は、「開かれた美術館[1]」をコンセプトに二〇〇四年にオープンした。妹島和世＋西沢立衛／SANAAが設計したこの美術館は、金沢市内の中心部に位置し、建物の構造というハード面でも、また教育普及や市民交流を重視したプログラムなどのソフト面でも、「開かれた」美術館である。ここでは展示の順路について考えるために、その構造を少し詳しくみていこう。美術館の建物は、ガラス張りの開放的な外観に加え、一階部分の出入り口が東西南北の計四カ所にあり、どこからでも自由に出入りできる。さらに特徴的なのが、展示室の配置の仕方である。一般的な美術館では、四角い空間を仕切るように展示室と展示室が壁を隔てて隣り合っている。これに対して金沢21世紀美術館の展示室は、可動壁を設けず、丸い枠組みのなかに大きさやプロポーションが異なる大小十四の展示室が集落のように配されていて、独立した展示室の周りには、必ず廊下がある回遊型の構造になっている。各展示室には番号が振られているが、明確な順路は設けられていない。

開館記念展の「21世紀の出会い――共鳴、ここ・から」[2]では、有料・無料ゾーン両方の館全体にわたって作品が展示され、その回遊性がより一層際立っていた。同展キュレーターで館の立ち上げに関わった長谷川祐子は、それまでのキュレーションでは一つの展覧会の展示構成を考えるときに一つのストーリーを作るように努めてきた。しかし開館記念展では「いくら（キュレーター／美術館側が）ルートを決めても（観客は）自分が好きなところに行ってしまえる」ため、「どんな組み合わせでもエリアごとに成立する」[3]という実験的な展示になったとコメントしている。さらにSANAAの建築のキーワードにもなっている柔軟性（フレキシビリティ）を、長谷川は次のように再解釈して語る。「空間と作品との間でぴったりとした対話が成立すれば、一つ一つの作品、それぞれの部屋の強い印象を作ることができる。あとは見る人に自分でルートを作ってもらう。見る人に任せてしまうフレキシビリティなので、任せられる人間も強い認識や選択、自分自身の判断を迫られる。相手に対していろんな潜在能力を要求するフレキシビリティなんです。この美術館は決してオープンで、綺麗で明るいだけでなく、反面アナーキーで、ある意味、人に対して鍛錬を強いる建物だと思います」。開館記念展では、体感型・参加型の作品が数多く展示されたほか、視覚にストレートに訴えかける作品もバランスよく配置され、美術の専門知識がなくても素直に楽しめる作品が圧倒的に多い印象だった。美術館の顔とも言えるレアンドロ・エルリッヒの恒久展示作品『スイミング・プール』（二〇〇四年）は、上から覗き込むとプールの水面の下に立つ人々の姿が見えるという不思議な光景を生み出す。十二メートルの天井高がある展示室には、ゲルダ・シュタイナー＆ユルグ・レンツリンガーの植物や廃棄物などを用いたインスタレーションが有機的に張り巡らされ、天井から浮遊するように会場を包み込む。脳内の神経ネットワークと生態系の多様性の融合を表現した「脳の森」のなかで、人々はしばし休憩し、散策を楽しむ。あるいはパトリック・トゥットフオコのカラフルな特別仕様の自転車で館内を周遊してみたり、エルネスト・ネトの柔らかなインスタレーションのなかに横たわってゆっくりと身を沈めてみたりするなど、思い思いの時間を過ごす。だが、その一方で、明確な順路がないため、鑑賞者に自分の身体感覚を使って展示を確認していく作業を強いる展示ともなった。

開館から二十年近くを経た現在の金沢21世紀美術館の企画展示の有料スペースでは普段、企画展とコレクション展、あるいは企画展二本など二つの展覧会が開催されることが多いが、開館記念展と同様に、各展覧会の入り口が設置されている以外は特に矢印付きの順路表示はなく、展示室に番号が振ってあるだけにとどまっている。現在でも日本の多くの公立館が順路表示を当たり前のように掲示するなかで、来館者に真の意味で「開かれた」美術館であろうとする同館の姿勢は開館から崩れておらず、結果として新しい鑑賞のあり方を楽しむ人々の姿が数多くみられる。決められたストーリーを誰かが語ってくれるのを待っているのではなく、鑑賞者が自分自身に問いかけながら、その日そのときで何通りものストーリーを作っていくような鑑賞のあり方が求められているのだ。

また、そうした鑑賞者の主体性を自由に促すようなオープンな解釈を許す展示は、キュレーター側にとっても相当な鍛錬を強いる。キュレーターが用意するストーリーは、一つの解釈を鑑賞者に押し付けるものではなく、鑑賞者に向けて多様な展示の解釈を開くための、ある種の筋道にすぎない。あとは鑑賞者自らにストーリーが委ねられる。順路を作ること、ストーリーを作ることは、展示を空間的にデザインするだけではなく、時間や体験をデザインすることにつながる。そして、それらをデザインする主体は誰なのか、という問題を私たちに突き付ける。

ここで次に、作品そのものがもつ時間について、また、特定の時間軸をもつ作品の展示について考えてみよう。

5　時間軸がある作品の展示

近年、現代美術の展覧会で、映像作品が占める割合が著しく増えている。これは映像を撮影するための機材や編集するためのコンピューターのソフトウエアなどの開発が一九九〇年代以降、飛躍的に発展し、廉価でコンパクトで性能がいいものが、急速かつ大量に出回るようになったことが大きい。展示の方法も、シンプルに壁にプロジェクターで投影したり、モニタで見せるなどのほか、コンピューターのプログラムを介して複数の映像を同期させたり、空間全体を作り込むようなインスタレーションとして見せるものも多い。このほか、音を使ったサウンド・インスタレーションやパフォーマンス、また光や音、映像、インスタレーションなどを総合的に組み合わせてコンピューターでプログラミングして演劇のように見せるメディアアートなど、特定の時間軸をもつ作品の展示が、旧来の劇場やコンサートホール、映画館などのスペースだけでなく、美術の展覧会の枠組みのなかにも入り込んで盛んにおこなわれている。こうしたいわゆるタイムベースト・アートと呼ばれる時間軸をもつ作品が展覧会で展示されているとき、あなたは普段どのように鑑賞しているだろうか。先に考察した順路は、キュレーターが設定した順路に沿って見ることも、逆に自分の好きな順路とペースで見ることも可能である。だが映像作品やパフォーマンス作品のなかには、起承転結がはっきりしているものや、始めから終わりまでの展開と長さが決まっているものも多く、そうなるとたんに自分の鑑賞するペースが乱される。美術館で展示される映像作品の大半は、数分程度と短めに編集されているが、上映時間のスタートが決まっているもの、あるいは長篇の映像の場合だと、どうしても作品の途中でその場を離れることになってしまう。展覧会の規模にもよるが、美術館で一本の展覧会を鑑賞する場合、一時間、あるいは長くてもせいぜい二時間程度で見終わることが一般的である。だが、近年の映像作品の増加によって、すべての映像作品を始めから終わりまできちんと見ようとすると四時間近くかかってしまう展覧会も少なくない。こうなってくると、よほど覚悟を決めてかからないと、全部を消化するのは不可能になってしまう。その場合、なんらかの取捨選択をしながら一本の展覧会を見ることになるが、その際にあなたにとっては何が決め手になるのだろうか。

6 音楽を「設置」する展覧会

ここで二〇一七年の春にワタリウム美術館（東京）で開催された「Ryuichi Sakamoto｜async 坂本龍一　設置音楽展」[4]（以下、「設置音楽展」と略記）を具体例として少し丁寧にみていきながら、キュレーターがデザインする時間、作品がもつ時間、鑑賞者が体験する時間の関係を考えてみよう。「設置音楽展」は、一七年にリリースされた坂本龍一のアルバム『async』を「立体的に聴かせる」[5]ことを意図した展覧会だった。展示は三フロアに分かれていて、二階からスタートして三階、四階と上がっていき、最後に地下一階のショップでアナログ盤の同アルバムなどを視聴できるような構成になっていた。

二階に入ってすぐの部屋には、展示ケースのなかに坂本がアルバムを制作する際に着想のもとになった書籍や写真、メモ、譜面などが導入的に展示され、奥に進むと『async』の楽曲が5.1chの高性能スピーカー六台から流れる部屋『async-drowning』（二〇一七年）へと続き、そこで四方から音に囲まれる。壁には、八台の縦型に配置されたフラットなモニタに高谷史郎による映像がリアルタイムで生成される。三階にはアルバムの制作のために坂本が過ごしたニューヨークのスタジオとその周辺などを撮影した映像と音風景を、スケッチのように二十四台のiPhoneとiPadで見せるアーティスト・ユニットZakkubalanによるインスタレーション『async-volume』（二〇一七年）、四

写真2-1　坂本龍一＋高谷史郎『async-drowning』「設置音楽展」（2017年）会場風景
Photo by Ryuichi Maruo
©2017 commmons/Avex Entertainment Inc.

階にはタイ人アーティスト・映画監督のアピチャッポン・ウィーラセタクンが同アルバムから着想を得て制作した映像作品『async-first light』（二〇一七年）が展示された。

このように「設置音楽展」は、三フロアを通して、坂本とさまざまなアーティストとのコラボレーションを通じて『async』という一枚のアルバムがもつ世界観を多角的に展示する展覧会だった。だが、私はこの展覧会を見終わって、なんとも言えない違和感を覚えて会場をあとにした。その違和感について、展覧会が終わったあとも事あるごとに何が原因なのかを考えることが多かった。その後、二〇一八年の秋に韓国・ソウルで坂本のデビューから『async』発表までの四十年にわたるさまざまな活動を音楽、映像、インスタレーションなどを通して振り返るような個展を観る機会があった[6]。同展では、映画音楽に始まり、一九八〇年代のナムジュン・パイクとの実験的なビデオ作品や、長年活動をともにしているミュージシャンのアルヴァ・ノト（カールステン・ニコライ）とのライブ映像、高谷史郎とのインスタレーション作品など、盛りだくさんな内容が詰め込まれていた。そこで三時間近く過ごしたあげく閉館時間になってしまい、あえなく会場を出たが、久々に「時間」を忘れて一つの展覧会を堪能する体験をした。そしてこの展覧会では「時間」が幾重にもなって大切な要素になっていると実感した。同時にあらためて「設置音楽展」のことを思い出し、そこで覚えた違和感の背後に展示を取り巻く「時間」の問題が潜んでいるのではないか、とようやく思い当たった。特に「設置音楽展」のなかでも二階の『async-drowning』は、アルバムの音楽を立体的に展示する、という同展覧会の中核をなす展示であるとともに、最も違和感を覚えた展示でもあった。どうやらこの展示に向き合うことが、特定の時間軸をもつ作品とその鑑賞体験の関係について、いくつか思考するためのヒントを与えてくれそうだ。そこでここでは、「設置音楽展」のなかでも、この『async-drowning』をもう少し掘り下げて、展示を取り巻く「時間」の問題をあらためて考えてみたい。

通常の映像インスタレーションやサウンド・インスタレーションでは、「出入り自由」であることが多い。「設置音楽展」でも、三階と四階の展示については、各展示室を観客が比較的自由なペースで見て回る姿がよくみられた。だが、二階の『async-drowning』のインスタレーションは、整った音環境のなかで「一枚のアルバムを聴く」という行為が組み込まれていたために、そこにいた観客のほとんどは、展示室に一度足を踏み入れると退出することなく、かなり長い時間、音楽その

写真2-2　坂本龍一＋高谷史郎『async-drowning』「設置音楽展」（2017年）会場風景
Photo by Ryuichi Maruo

ものを聴きながら高谷の映像を見ていた。高谷の映像は、坂本のニューヨークのスタジオにあったピアノや書籍、譜面、マレット（打楽器用の枹／バチ）、指揮棒、裏庭の植木鉢などさまざまな事物を撮影したものをベースに構成されている。モニタに映し出される無数の細い横線からなる映像は、右側あるいは左側のモニタから一定方向に徐々に変化していき、織物を織るように八台で一つの風景を作り出す。高谷の映像は、アルバムの音と同期しているわけではないが、刻一刻と表情を変え、アルバムの音が作り出す時間軸に並行して、潮の満ち干のように展示室に流れるもう一つの時間軸を視覚的に鑑賞者に強く印象づける。

展示室内に「設置」された「音楽」を体感するという行為は、最初から最後までの時間を演者側がコントロールして大勢が一斉に鑑賞するライブや映画、舞台とは何が異なるのだろうか。ここで、通常の音楽アルバムを聴く行為と、展示空間でインスタレーションとして『async』というアルバムを鑑賞する行為を比較しながら少し考えてみる。

7 音楽アルバムを聴くという行為

レコードの登場は音楽の鑑賞体験に大きな革命を起こしたが、一九七〇年代に普及したカセットテープはさらなる変化をもたらした。カセットテープは、ラジオやレコードの音楽を聴き手が自ら編集・録音することを可能にした。さらにそのコンパクトさから、カーオーディオにも組み込みやすく、車で移動しながら自分の好みの音楽を聴くことを可能にした。また、カセットテープのポータブルな再生機として開発された七九年のソニーのウォークマンの登場は、文字どおり音楽を持ち歩くことを可能にした。その後録音される媒体は、レコードやカセットテープからCDやSDカード、ハードディスク、SSDなどのデジタルな記録媒体へと変わった。現在ではさらにクラウド上で管理されているデータがネットを介して配信され、それをスマートフォンなどで聴くことが一般的になっている。

カナダの天才ピアニスト、グレン・グールドは、一九六六年に発表した「レコーディングの将来」という評論で、録音音楽による演奏音楽家の役割の変化、編集技術者や作曲者、聴き手への影響などについて鋭く洞察している。なかでも、従来の「受動的な分析者」ではない編集意識をもった新しい聴き手の可能性を次のように予見している。「かれは協力者であり、将来といわず現在すでにかれの趣味、嗜好、傾向は、かれが注意を寄せる音楽経験の周辺部分を変えている。音楽芸術の未来は、かれのさらなる参加を期待している[7]」

通常、一枚のアルバムを聴くという行為は、音楽ホールなどである特定の日時に生演奏を聴くこととは異なり、すでに録音された音楽を再生して聴くものである。したがってアルバムそのものは、作り手によってその一枚にバランスよく収まるように編まれているものの、その聴き方は、グールドが予見したとおり、聴き手の自由にかなり任されている。自分が好きなようにスキップさせたり、順序を入れ替えたり、途中で止めたり、同じ曲を繰り返し聴いたりすることも可能である。またアルバムを聴くシチュエーションも、スマホで通勤・通学時に聴いたり、自室で何か作業をしながら流したり、車を運転しながら聴いたり、と自分の好きなところで好きなときに好きなペースで聴くことができる。そうした意味では、演奏会や展覧会という時空間でしか成立しない作品鑑賞のあり方と比べて、比較的自由な鑑賞を可能にする。

もともと『async』というアルバムは、一般的なコンサートやライブなどステージ上で再現するのが難しいタイプの楽曲で構成されていて、録音されたアルバムで鑑賞することを前提として坂本が作り込んだものだ。そういう意味では、このアルバムは本来、アルバムとして通常の音楽アルバムと同様に鑑賞することが期待されている。だが同時に、このアルバムについて坂本は、次のような重要な発言をしている。それは、このアルバムをもともと「音を空間に配置するつもりで作った」[8]ということである。つまり、このアルバムは、アルバムという形態をとりながらも、展示を前提とした音楽として考えられていたのだ。そして「設置音楽展」は、そのアルバムを「良質な環境で音楽に向き合ってもらえたら」[9]という坂本自身の思いからスタートし、自らが展示ディレクションを手がけた展覧会だった。

8 展示空間でアルバムを鑑賞する行為

「async」は、そもそも「同期しない」「非同期」という意味である。これは普段、演奏や鑑賞で同期を前提としている音楽というメディアの本質を根本から問い直すような試みである。収録している楽曲も、いわゆるメロディーを追って聴くような楽曲だけでなく、坂本自身がさまざまな音を収集し、それらを配置・編集した楽曲で構成されている。林のなかを枯れ葉や小枝を踏みながら歩く足音、三味線の擦れる音、六月の裏庭の雨音、ピアノの弦をはじいたりこすったりする音など、それぞれの音が固有のテンポをもちながら、複層的な時間が過ぎる音楽になって「架空のタルコフスキー映画のサウンドトラック」[10]というコンセプトのもとで一枚のアルバムに編んである。これらの音はノイズのようなものも、自然の音も、人工の音もそれぞれが上下関係なく等しく扱われていて、坂本の「音」に対する謙虚とも言える姿勢が明確に現れている。高谷の映像は、物語性を排除し、坂本の音とあえて同期しないことで、その世界観と展示空間で流れる時間を可視化する『async』

のアルバムと不可分なインスタレーションになっていた。

実際に展示室で流す際には、市販されている『async』のアルバムよりも少し長めに編集した音源が展覧会のために用意された。具体的には、収録曲のうちの一つをオリジナルの五分九秒の長さから六分五秒とわずかながら長めに編集し、また通常のアルバムには収録されていない曲をボーナストラックとして一曲加えて構成した。これは、坂本によると、「出入り自由」なインスタレーションとして聴かせる展示を意識しながらも、アルバムを立体的に鑑賞させるという目的に軸が置かれていたため、「アルバムからあまり大きく離れないように少し長くする」[11]ことを基本にした結果だった。全体の長さは、最終的には坂本自身が現場で聴き比べながら判断して決めた。

結果的に、この展示は、一見「出入り自由」な映像インスタレーションの体裁をとりながらも、実際には、ライブを鑑賞するように作品の時間軸に沿ってその場でじっと鑑賞する観客を多く生み出すことになった。これは、この展示が、一般的なアルバムの鑑賞よりもライブ体験に近いことを物語っている。同時にステージ上で再現することが難しい音楽アルバムを個人による鑑賞やライブ会場での鑑賞とは異なる手法で「立体的に聴かせる」には、展示室でのインスタレーション／設置が最良の手段だったと言えるだろう。そういう意味では、『async-drowning』は、通常の一枚のアルバムを聴くという行為と、映像インスタレーションを鑑賞する行為、さらにはライブ鑑賞をする行為のちょうど中間に位置するような展示であり、一つのライブ・パフォーマンス的なインスタレーション作品として提示されていた。言い換えれば、『async-drowning』は、単なる音楽アルバムの鑑賞ではなく、「async」というアルバムタイトルが象徴するように、多様な時間の層が交錯する鑑賞のあり方の可能性を開く先駆的・過渡的な試みだったと言える。私がはじめにこの展示に対して抱いた違和感は、一つの作品のなかに幾重にも絡まりあった時間が同期することなく提示されている、というそれまで経験したことがない鑑賞体験に戸惑ってしまったことに起因しているのかもしれない。

設置音楽展のあとにNTTインターコミュニケーション・センター（ICC、東京）で発表された『IS YOUR TIME』[12]（二〇一七年）は、同じ『async』をベースにしながらも、新しい展開を見せて『async–drowning』とはきわめて対照的な展示になった。この作品で重視された要素は、モノとしての音への坂本のこだわりだった。[13]観客が、外からの音を払い落とすための「サイレント・コリドー（無音の廊下）」を抜けると、会場の奥に一台のピアノが置いてある。このピアノは、二〇一一年の東日本大震災の津波で被災した宮城県農業高等学校のピアノだが、坂本は、それを「自然によって調律されたピアノ」として捉え、作品化した。展示室内には、LEDパネルとスピーカーが五台ずつ両側に並び、さらに部屋の奥と手前には二台ずつスピーカーが設置されている。そして『async』の楽曲を中心にこのインスタレーションのためにアレンジされた曲が、世界各地の地震データによって演奏される「津波ピアノ」とともに鳴り響く。津波ピアノは、大自然の営みによって、人の手で整えられた音楽を奏でる楽器としての機能と役目を失い、モノに返ったピアノである。それが、インスタレーション作品となる際に地球の鳴動を感知させるためのメディアとして生まれ変わった。十台のLEDパネルからの光と十四台のスピーカーからの音によって、モノとしての音が、展示空間のなかを立体的に移動して伝わっていく様子が可視化・可聴化される。そこにときおり、世界のどこかで大地が揺れたことをピアノが奏でて知らせる。さらにICCでの展覧会の会期中に実施されたライブパフォーマンスでは、楽器を手にした演者が展示空間を移動しながら、『async』のスコアの一部を好きなタイミングで、好きな長さで演奏し、演者も鑑賞者も多様な時間が交錯するなかを移動するそれぞれの音を体感した。展示では、『async』と津波ピアノによるプログラム自体は約七十五分で一巡りするが、鑑賞者はその時間にとらわれることなく展示空間のなかを自由に歩き回ったり立ち止まったりすることができ、より「出入り自由」なインスタレーションになっていた。

一枚の音楽アルバムを音楽と映像によるインスタレーションとして展示室に展開する手法は、音楽を「設置」するという行為が単に展示室の空間に物理的に作品を配置するだけでなく、展示室に流れる時間も配置していることを浮き彫りにする。展覧会や展示のための音楽のあり方は、コンサートやアルバムとは異なる非同期性を内包する音楽の新しい鑑賞の可能性を開く。そして、展示室で音楽や映像作品を鑑賞するという行為は、スマホで音楽や動画を視聴するように、好きな順序で、好きなタイミングや場所で鑑賞する行為と異なり、あくまでも展覧会の時空間でしか成立しない作品鑑賞のあり方についてあらためて問いを投げかける。ここで、時間軸をもつ作品の鑑賞についてさらに考えを深めるために、もう一つパフォーマンスを「展示」した事例をみてみたい。

9　パフォーマンスを展示する

二〇一九年の第五十八回ヴェネチア・ビエンナーレ[14]で金獅子賞を受賞したリトアニア館の『Sun & Sea (Marina)』は、会期中の週二日だけ終日開催される新しい形態の「オペラ・パフォーマンス[15]」だった。ビエンナーレ主会場の一つであるアルセナーレ（旧造船所）から少し離れた一角にある倉庫に、二階に上がる階段と上階部分をぐるりと取り囲むバルコニーがしつらえてある。二階に上がって薄暗いバルコニーから見下ろすと、一階部分がまるで一枚の巨大な絵画のように見える。そこでは明るく照らし出された人工のビーチが広がり、思い思いにくつろぐ水着姿の人々が目に入る。砂浜にタオルを広げて寝転がっている人たち、寝椅子に横たわって本を読む人、犬を連れて散歩をする人、ビーチテニスで遊ぶ子どもたち。そのうち一人の女性が寝転がったまま、おもむろに日焼けどめを手に取って、そのラベルを読み上げながらソプラノで歌い始める。やがて彼女のアリアに、ビーチにいる人たちが声を合わせて歌いだす。しばらくすると今度は別の男性が日々の仕事で過労ぎみだと歌い、周りがハミングしてハーモニーを奏でる。こうして約二十人の歌い手が穏やかにゆっくりとしたリズムで順に歌い始め、それにコーラスが加わっていく。歌詞の一つひとつは、仕事や休暇の話、日焼けやビーチに捨てられたゴミなど、たわいない個人の日常を取り上げたものから始まる。やがて彼らが抱えている現代生活のさまざまな歪みや不安を描き出し、さらには環境破壊や地球温暖化など、地球が滅びゆく最後の日がささやかな日常から静かに忍び寄っていること、そしてその危機的な状況に対して、ビーチに横たわる人々のように緩慢な態度でありつづける私たち自身の姿を示唆していることがわかる。

パフォーマンスは約一時間で一巡りするが、特に始まりと終わりが明確にされているわけではなく、観客は自分の好きなタイミングでその場をあとにすることができる。リトアニア館の試みは、上演時間が定められた既存のオペラとは異なる、展覧会として見せることを全面的に意識した、生きた絵画を見せるような作品として提示されていた。「設置音楽展」でふれた『async』が、展示と音楽アルバムというそれぞれ異なる鑑賞形態に開かれた多面的な性格[16]を有していたのに対し、リトアニア館の『Sun & Sea』は、定められた時空間を有する展覧会としてしか成立することができないタイプのパフォーマンス作品だったとも言える。

10　展示の時空間を主体的に鑑賞する

ここまでみてきたように、展覧会を鑑賞する行為は、展覧会がもつ物理的な空間と時間の両方を一人ひとりが鑑賞する行為だと言える。展示の順番やしつらえというキュレーターがデザインする展覧会の時空間、観る順番とペースという鑑賞者がデザインする展覧会の時空間、そして作家による作品そのものが作り出す展覧会の時空間が交錯するなか、そこをどう歩くかは鑑賞者に開かれ、その主体性に委ねられている。つまり展覧会では、空間的な問題だけでなく、展覧会を体験する時間についても主体的な鑑賞が求められる。

ただし、作品そのものがもつ時間軸を鑑賞者が経験することが必須の作品の場合、作品がもつ時間に鑑賞者はある程度取り込まれ、その現象を包括的に直接肌で感じながら、自らのなかにリアルタイムで流れる時間や自身の過去のさまざまな体験や記憶などと照らし合わせて結び付けながら作品を体感することになる。絵画作品や彫刻作品の場合も、それらを作り出すために作家が費やした時間、さらにはその作家が生きていた／いる時代性などの歴史的時間を、絵筆や鑿（のみ）の痕、あるいは主題とするモチーフなどから感じることもある。しかし、音や映像、パフォーマンスなどを用いた作品は、そのものがもつ時間軸がより鮮明になり、鑑賞者の鑑賞体験の時間にダイレクトに、そしてリアルタイムで作用していく。ただし、コンサートホールや映画館での鑑賞とは異なって展覧会での展示はあくまで「出入り自由」なので、どの程度その作品がもつ時間のなかに自分の時間を重ねていくかは、あくまでも鑑賞者に委ねられている。

一方で、時間軸をもつ作品の展示は、そうした作品を制作する作家やそれを展示するキュレーターの側にとっても、順路や時系列に従わない展示のあり方について再考を促す。そこでは起承転結があるストーリーを組み立てるだけではなく、オープンエンドな作品や展示のロジックも選択肢の一つに加えながら、展示の時空間をデザインしていくことが必要とされるだろう。

このことは、展覧会という枠組みのなかで、個々の作品が成立するプロセスや、展覧会の時空間や体験をデザインする担い手について、作家、キュレーター、鑑賞者のあり方をあらためて私たちに考えさせる。展覧会は、単に作品を「観る」空間を提供するだけではなく、体全体を使って感じ、思考し、作品と接する特定の時間を過ごす場なのだ。また作品は、いったん作家の手元で完成すると、その手から離れる。そして作品は、展覧会という時空間のなかにある文脈をもって設置され、鑑賞者が展示室に入ることで、個々の鑑賞者の鑑賞体験になって共有され、解釈されていく。

近年、現代美術の展覧会で映像作品と並んで増加している参加型・体感型の展示や、展覧会の枠組みのなかで実施されるパフォーマンス作品の展示は、作家、キュレーター、鑑賞者というそれぞれがもつ異なる時空間の交錯の仕方、ならびにグールドが言う「新しい聴き手」としての主体的な鑑賞者のあり方が作品の成立に大きく関わっていることを示唆している。次のギモン3とギモン4では、こうした作品が作品として展覧会のなかで成立する仕組みについて考えていこう。

注

(1)「開かれた美術館」というコンセプトは、もともとは一九七〇年代にポンピドゥー・センター（パリ）が提唱した美術館像。「美術の墓場」（テオドール・W・アドルノ）と言われ、アートの愛好家のためだけに閉ざされた場になっていた従来の美術館を広く一般の人々に開かれた場にしようとした。二〇〇〇年代以降、日本の美術館にも大きな影響を与えていて、教育普及プログラムの充実や地域との連携が積極的におこなわれている。金沢21世紀美術館は、その代表例の一つ。

(2) 開館記念展「21世紀の出会い――共鳴、ここ・から」金沢21世紀美術館、二〇〇四年十月九日―〇

五年三月二十一日

(3)引用した長谷川祐子のコメントは以下すべて、拙稿「展覧会 ついに開館!! 金沢21世紀美術館——開館記念展「21世紀の出会い——共鳴、ここ・から」」(「美術手帖」二〇〇四年十二月号、美術出版社)二三ページによる。

(4)「Ryuichi Sakamoto | async 坂本龍一|設置音楽展」ワタリウム美術館、二〇一七年四月四日—五月二十八日

(5)坂本龍一氏メール談。二〇一九年六月二日

(6)「RYUICHI SAKAMOTO EXHIBITION: LIFE, LIFE」piknic(韓国・ソウル)、二〇一八年五月二十六日—十月十四日

(7)グレン・グールド「レコーディングの将来」、ティム・ペイジ編『グレン・グールド著作集2 パフォーマンスとメディア』所収、野水瑞穂訳、みすず書房、一九九〇年、一六二ページ

(8)NHK BSプレミアム『坂本龍一 ライブ・イン・ニューヨーク〝アシンク〟』(二〇一八年三月十一日放送)での坂本のコメント。

(9)ワタリウム美術館「Ryuichi Sakamoto | async 坂本龍一|設置音楽展」展覧会概要(http://www.watarium.co.jp/exhibition/1704sakamoto/index.html)[二〇一九年七月二十七日アクセス]

(10)坂本龍一『async』(commmons、二〇一七年)ライナーノーツ。アンドレイ・タルコフスキー(一九三二—八六)はソ連の映画監督。

(11)坂本氏メール談。二〇一九年六月二日

(12)「坂本龍一 with 高谷史郎|設置音楽2 IS YOUR TIME」NTTインターコミュニケーション・センター(ICC)ギャラリーA、二〇一七年十二月九日—一八年三月十一日

（13）展覧会ドキュメント「坂本龍一 with 高谷史郎｜設置音楽2 IS YOUR TIME」NTTインターコミュニケーション・センター（ICC）(https://www.youtube.com/watch?v=onNBysMf9WM)［二〇二三年十二月八日アクセス］

（14）第五十八回ヴェネチア・ビエンナーレ、二〇一九年五月十一日—十一月二十四日。リトアニア館展示は二〇一九年五月十一日—十月三十一日。

（15）リトアニア館チラシ

（16）『async』は、その多面性を象徴するように展示とアルバムのほか、ニューヨークで二日間限定のライブとして実施され、またそれが映画にもなっている。ライブ：「Ryuichi Sakamoto: async at the Park Avenue Armory」Artists Studio、二〇一七年四月二十五日、二十六日（各回百人限定）高谷史郎と共演。映画：『坂本龍一 PERFORMANCE IN NEW YORK: async』（原題：*RYUICHI SAKAMOTO: async AT THE PARK AVENUE ARMORY*）監督：スティーブン・ノムラ・シブル、アメリカ・日本、二〇一七年

ギモン3　何を展示するの？

1　展覧会での作品展示とは？

ここまで展覧会という時空間をさまざまな角度からみてきたが、基本に立ち返って質問を一つ。展覧会では何を展示しているのだろうか。そりゃあ作品に決まってるでしょ、とおそらく大半の人は躊躇なく答えるにちがいない。そもそも人は作品を観に展覧会にいくわけだし、それは映画館に映画を観にいったり、コンサートホールに音楽を聴きにいくのと同じくらい自然なことのように思われる。だが、ゴッホやモネ、ピエール＝オーギュスト・ルノアールなど近代美術あたりまで美術館や展覧会で当たり前のように鎮座していた作品の「当たり前感」が、現代美術では、デュシャンを機に著しく崩壊、あるいは変容しつつあることは、本書をここまで読み進めたみなさんにはもうおわかりのことだろう。展覧会に作品を展示するというよりも、ある意味、美術館や展覧会に展示してあるから作品が作品として成立する、という一種の逆転現象が現代美術の場合には多発している。本書の冒頭で、「作家が作品を作るように、キュレーター、あるいは学芸員と呼ばれる人たちは、展覧会を作る」とさらりと述べた。キュレーターの仕事の要になるのは、展覧会に一体何をどう展示するのか、ということに尽きるだろう。

ギモン3では、作品はどのようにして作品になるのかを、キュレーターの立場から考えてみよう。具体的には、美術の展覧会で私たちが普段、至極当たり前のように見ている作品、なかでもとりわけ現代美術特有の事情を抱えた作品の展示を、主に次の二つのキュレートリアルな視点からあらためて考えてみたい。まず一つ目は、作品を作品として展覧会のなかで位置づける行為について、そして二つ目は、作品を展覧会のために選ぶという行為について考える。どちらも作品を展示するにあたってキュレーターが大きく関わる行為であり、それが特に現代美術の場合、近代までの美術の展示では見られなかったような問題が出てくる。さて、何がどう問題なのか、これから一つひとつ具体的にみていこう。

2　作品が作品になるとき

まずここであらためて私たちが普段、現代美術の展覧会で作品を鑑賞するときのことを思い起こしてみよう。近代までに制作された絵画や彫刻などなら一目で作品と判別できるのに、現代美術となると、「これが作品?」「え? これも作品?」ととたんにわかりにくくなってしまうのはなぜだろうか。言葉は悪いが、一見ゴミみたいなものでもアートだったりすることも少なくない。展示室内にあればまだしも、屋外のインスタレーションが中心の展覧会になってくると、一体どこに作品があるんだ、となかなかに紛らわしい事態が発生する場合もある。逆に無造作に道端に積まれたバケツなどの日用品が、その色合いや積まれ具合が絶妙な味を醸し出して「これって現代アートじゃん」と言われそうになることだってあるだろう。さらにモノの展示ならまだしも、ハプニングやイベント、パフォーマンスなどの形に残らない作品の展示になってくると混迷を極める。例えばティノ・セーガルの『This is Propaganda(これはプロパガンダ)』(二〇〇二年)という作品は、展示室に観客が足を踏み入れると、看視員に扮した人がおもむろに「This is Propaganda, you know, you know.(これはプロパガンダ、知ってるでしょ、知ってるでしょ)」と歌う。こうなってくると、もはやそれが作品なのかどうかよくわからずに通り過ぎてしまう人が続出してもおかしくない。展覧会場で作品を鑑賞するというときに、私たちは一体どこでそれが作品だと判別しているのだろうか。

MoMAが建築やデザイン、映画、写真などそれまでアートと目されなかったものを美術館で展示したりコレクションに加えたりすることで、それらをアートの文脈に位置づけてきたことは、ギモン1ですでにみてきたとおりだ。このように美術館や展覧会で何かを展示するという行為は、それを作品として美術の文脈に位置づけることを意味する。現代美術は、領域横断的な性格を近年ますます強めていて、視覚美術にとどまらず、音楽やファッション、建築などの他ジャンルの芸術、あるいは科学や人類学、社会学、工学、医学、福祉などの芸術以外の分野と横断・協働する作品や展覧会が増加の一途をたどっている。これらの試みのなかには、従来の絵画や彫刻などのモノによるアウトプットだけではなく、地域のコミュニティを巻き込むようなプロジェクト型の作品や、最終的な形態にはこだわらずにそのときどきの行為やプロセスを重視した形がない作品もたくさんある。多様化する現代美術で、作品やアートの概念は常に再定義を迫られる宿命にある。そもそも現代美術自体、何が作品なのか、何がアートなのかを開拓、挑戦しつづけていくことを本分としているようなところもある。よく言えば懐が深いのだが、へたをするとなんでもありになってしまう危険もはらんでいる。そうした状況のなかで、ホワイト・キューブなどの展示空間や展覧会という枠組みで作品を作品として位置づけるのが、キュレーターの大事な仕事の一つである。では具体的に、キュレーターはどうやって作品を作品として位置づけているのだろうか。

3　逆パルメザンチーズ再考

ホワイト・キューブの展示空間の場合は、そこに置かれているだけで作品と認識されやすい、というのはギモン1でもみてきた。だが、作品はただ展示室にポンと置かれているだけで自動的に作品と認識されるとはかぎらない。デュシャンの『泉』を思い出してみると、単に男性用小便器を展示室に持ち込んだだけであれば作品とはならないし、あんな一大事件にもならなかった。便器が作品になったのには、まず「泉」というタイトルをつけて、制作年と作家によるサインを添え、展覧会に出品し（実際には出品されなかったわけだが）、展示台にひっくり返して展示をする、という一連のこまやかな展覧会での決まりごとを経て、さらにそれについて美術雑誌で評論を掲載する、というところまでを全部含めてようやく作品が作品となり、美術史の歴史的大事件として位置づけられた。

ホワイト・キューブという環境、あるいは展覧会という枠組みそのものは、作品を作品たらしめる一種の舞台装置である。この舞台装置で作品を作品として、よりわかりやすくする小道具がいくつかある。ここで本書のはじめに登場した「逆パルメザンチーズ」に再登場してもらい、作品の展示を構成していた小道具とその役割をいま一度整理してみよう。

「ほら、これ、なんか周り全部白いバックにして、白い台の上に置いて、ケースに入れて、その周りになんか紐みたいなの張って「入らないでください」とか「さわらないでください」って書いてさ、で、四角い紙みたいなのに「〇〇〇〇（自分の名前）」って書いて、「この作品は、現代社会をいままでの発想とは真逆の発想で捉えることを表している」とかって説明書けば終わりじゃん」

まず「周り全部白いバック」が舞台になるホワイト・キューブ空間とすると、「白い台」と「ケース」がそれぞれ小道具の筆頭になる展示台と展示ケースになる。平面作品ならば、額も同じ部類の小道具と言える。これらは作品を保護すると同時に、壁や床に作品を展示することを可能にし、展示室内での作品の位置を明確に示してくれる。もっとも、現代美術の場合は額装されていない平面作品も多いし、展示台を使わないで床に直接配置するような立体作品も多い。次に「周りになんか紐みたいなの張って」いるのが「結界」と呼ばれるもので、ワイヤー状のものや金属製のバーなどがある。これも作品を保護したり、逆に作品によって観客がけがをしたり服を汚さないようにするなど観客を保護する役割がある。そして、これらの小道具のなかでも、最も重要な役割を果たしていると思われるのが「四角い紙みたいなのに」あれこれ書いてあるキャプションだ。キャプションというのは、通常、白い四角いパネルなどに黒字で印字してあるもので、作家名、作品タイトル、制作年、素材・技法などを明記して作品のそばに掲示してある。ときには簡単な作品解説などのウォール・テキストが別途添えられていることもある。屋外の展示の場合でも、立て看板のようになっているものや、長期的な展示の場合は金属製のプレートなどで作られて台座などにしっかりと設置されているものもある。

4　キャプションをつける

「キャプション」という用語は知らなくても、ここまでの説明で「ああ、あれね」と思い当たる人も多いだろう。あんな小さな四角い紙切れみたいなものがそんな大事な小道具なのかと思う方もいるかもしれない。だが、おそらくいまこの文章を読んでいるあなたも、作品だけを観て、キャプシヨンにあるタイトルや作家名を確認せずに展示室をあとにすることは少ないのではないだろうか。例えばルーヴル美術館で『モナ・リザ』(十七世紀ごろ)の絵を観たとき、そこに「モナ・リザ」という作品名と「レオナルド・ダ・ヴィンチ」という作家名を記したキャプションを見て、「ああ、いま、自分はあの『モナ・リザ』を観ているのだ」と確認する人は案外多いのではないだろうか。あるいは、近年日本でも人気が高まっている十七世紀にオランダで活躍した画家ヨハネス・フェルメールの展覧会にいくと、そもそも現存する作品が三十数点という寡作で知られるフェルメールの作品は、たいていフェルメール以外の画家の作品と一緒に展示されている。そこで人だかりができるのは、やはりフェルメールの作品だ。人々はキャプションをチェックして、似たような作風の同時代のほかの画家の作品には目もくれず、「フェルメール」と記されたキャプションを確認して熱心にそのキャプションが示す作品に見入る。人々が作家名をキャプションで認識したり、またそれが自分の知っている作家なのかどうかを確認したりすることは、現代美術作品の場合でもよくみられる光景だ。いわば、私たちはキャプションとセットで作品を鑑賞している。こうした作家名や作品名など、作品にまつわる情報を一枚のキャプションとして整えて展示室に作品と一緒に掲示するのはキュレーターである。このキャプションは、作品を鑑賞するうえで多くの人がその解釈の手がかりにするものであり、作品が作品として展覧会のなかで位置づけられるプロセスを目に見えるようにして示す。このキャプションのなかに記してある一つひとつの要素をここでみていきたい。

5　キャプションを構成する要素

まずは作家名だが、通常は、作家名に加えて出身地や活動拠点、生没年などが添えられている。この情報だけで、その作家を知っているかどうか、ということだけでなく、その作品はどういった場所で活動した（あるいは活動している）作家の手によるものなのかがわかる。また制作年を見ながら、その作家が何歳ぐらいのときに作ったものなのか、どういった時代背景の際に作られたものなのか、ということが明らかになる。

そしてキャプションに記載された情報のなかでも、その作品を解釈するうえで最大の手がかりになるのが作品タイトルだ。作品タイトルをつける行為自体は作家によるものだが、キャプションにそれが示されることで、観客は目の前の作品とキャプションを見比べながら、それが何を表そうとしているのかをあれこれ想像することができる。作品の実物を先に見て、次にキャプションのタイトルを見てから、再びその作品の内容を考える人も多いだろう。

6　作品タイトルいろいろ

作品とタイトルの関係については、古典的な例としては、ベルギーのシュルレアリスト画家ルネ・マグリットの『イメージの裏切り』（一九二八―二九年）を思い起こす人もいるだろう。喫煙具のパイプの絵の下に「Ceci n'est pas une pipe（これはパイプではない）」とフランス語の文章が添えてある一枚の油彩画である。絵柄としては「パイプ」だが、「イメージの裏切り」というタイトルが示すとおり、それはパイプではなく、一枚の絵にすぎない。マグリットのこの作品については、フランスの哲学者ミシェル・フーコーが著書『これはパイプではない』（一九七三年）で言葉と物の関係を主題的に論じているので、ここでは割愛したい。だが、作品の主題を読み解くうえで、言葉と物の関係は切っても切れないこと、また作品タイトルは実に多くの示唆を与えることが、マグリットのこの一枚の絵からも想像できるだろう。

現代美術作家たちも、作品に実にさまざまなタイトルをつけている。例えば、一九七〇年に大阪万国博覧会のペプシ館を水を使った人工の霧で覆った「霧の彫刻」で有名な中谷芙二子は、これまで手がけた霧の作品タイトルに必ず「国際地点番号」と呼ばれる五桁のアラビア数字を付している。これは、世界各国にある観測所に一つずつ割り当てられた番号で、各地点で観測された気象情報は、この番号とともに各国気象機関の世界的なネットワークで共有される。例えば、インド洋に浮かぶ大小千二百ものサンゴ礁の島々からなるモルディブ共和国の首都マレの国際地点番号は43555である。同地の国立美術館に隣接する緑豊かな公園に出現した作品は、『霧の彫刻#43555「モルディブの雲樹」』（二〇一二年）と命名された。霧は、風や人の流れ、温湿度、光などによってその表情を刻々と変化させる。筆者が二〇一二年にモルディブで企画した展覧会では、中谷は現地の気象台を訪れ、年間を通したマレの温湿度、風向や風速などの精密なデータを調べた。そして年間平均気温が三〇度前後という気象条件で、霧を見ることがないモルディブで人工の霧を出現させた。[1]あるいは、二〇〇八年の横浜トリエンナーレの際に横浜市内にある有名な日本庭園である三溪園で発表された作品は、その外苑のいちばん奥にある人工滝の周囲に霧を発生させ、『「雨月物語―懸崖の滝」Fogfalls #47670』と題された。自然の物語を語る風の化身として、変幻自在に舞う霧を上田秋成の『雨月物語』になぞらえ、最後に横浜の国際地点番号が付されている。[2]中谷の霧は、芸術であると同時に科学的なまなざしに貫かれていて、それはそのタイトルにも色濃く反映されている。

一方で、一九五〇年代半ばから七〇年代初頭にかけて関西を中心に活動した前衛美術グループの具体美術協会（通称、具体）のメンバーたちの作品タイトルには、おしなべて「無題」や「作品」などほぼタイトルらしいタイトルがつけられていないケースが多い。これは文学的な題名を嫌ったリーダーである吉原治良の意向によるものである。[3]例えば、具体の主要メンバーの一人、田中敦子は、エナメル塗料を用いてカラフルな円と曲線で構成した絵画を数多く制作したが、そのほとんどが「無題」か「作品」だけ、あるいは「作品 66-SA」「WORK 1964」など、「作品」や「WORK（英語で「作品」の意）」という言葉のあとに制作年を表す数字やアルファベットを付しただけのタイトルにとどまっている。以前、田中敦子の個展(4)の展覧会カタログの編集の手伝いをしたことがあるが、とにかく作品を同定するのが大変で、作品画像とサイズ、制作年を必死に照らし合わせる羽目になった。キャプションも「作品」というタイトルと制作年だけ、素材もほぼ同じなので間違わないようにつける必要があるが、キャプションをつけたところで、観客にとっては、「無題」や「作品」のほかは制作年が異なるぐらいなので、ただひたすらに目の前の絵画に向き合うしかない。既成の絵画や彫刻の概念を解体しようとした具体の意図に鑑みれば、作品につきもののキャプションにタイトルを付さず、ただそこに表現された作品をなんの先入観も与えずに観客に提示するというのはまことに理にかなってはいる。と同時に具体の作品タイトルのあり方は、私たちが普段いかにタイトルを頼りに作品を鑑賞しているかをあらためて認識させてくれる。

このようにタイトルがつけられていないキャプションというのは、鑑賞者にとってはなかなか手ごわい相手だが、これとは真逆で、岡崎乾二郎は、一編の詩のように長いタイトルをつけることで知られる。岡崎の絵画作品のなかに二枚一組になっているアクリル絵具で描いた抽象画のシリーズがあるが、このシリーズには同じ大きさのキャンバスの左と右でそれぞれ異なるタイトルがついている。例えばセゾン現代美術館所蔵の二〇〇一年に制作された作品は、左が「平面ばかりつづいて家のひとつもない真一文字の道を猛スピードで走っていれば、なおさら気分も座ってくる。この道や行く人なしに秋の暮。日除けの陰で顔は緑に蔽われ、そのくせ眼の輝きはまっすぐ向こうを見つめている。野菜が少なかろうと海で魚がなかろうと恐れるにたりない。米を一粒播くとかならず三百粒の実をつける」、右が「それを辿れば間違いなく家に戻れる一つしかない煉瓦敷きの道をゆっくり歩いていれば、どっと笑いがとまらない。やがて死ぬ景色は見えず蟬の声。陽の光をさんさん受けた気楽な世界のただなかで影に包まれ、爪先だって歩いている。自分が茄子であるのか南瓜であるのか分らなくてもよい。一生のうちに一回きっと蝶は飛んでくる」[5]という具合である。描かれた絵画自体は、色とりどりの絵具をコテのような形状のペインティングナイフで画面に載せて押し広げたり、絵具の盛り上がりをナイフで丁寧に造形したりした痕跡がわかるようなリズミカルな画面になっている。左と右とで見比べると、同じようなパターンが色の組み合わせや大きさなどを変えたりしながら、左右の同じ位置や異なる位置にそれぞれ配した画面構成になっている。タイトルのほうは、左と右の文字数は合わせてあるが、それぞれの文章は関連があるようで、ないようで、一つの物語と、もう一つ別のありえたかもしれない物語のようにも読める。二枚一組の絵と、左右で対になっているタイトルの文章を鑑賞者は見比べながら、しばし反芻する。岡崎の絵とタイトルは、このように同じような重みをもって鑑賞され、キャプションと言えどもそれは単なるタイトルを示す小道具の域を超え、もはや作品の一部になっている。

と、少々脱線したが、作品タイトルにかける（あるいはあえてそれを意識させないようにする）作家たちのこだわりは、それだけタイトルが作品を構成するうえで非常に重要な役割をもっていることを端的に示している。もっとも、現代美術の場合、展覧会に向けて新作を発表する作家も多く、オープンギリギリまでタイトルが決まらなくて、キュレーターはひやひやさせられることもしょっちゅうだ。また作家のほうも、やっと決まったタイトルを時間がたつと忘れてしまったり、あとから変更してしまうことも少なくない。と、なんとも悩ましいものではあるが、作品にとってタイトルは不可欠な存在であり、そんなタイトルも、キャプションがなければ、観客はその作品がどういうタイトルなのか、誰による作品なのか、皆目見当がつかない。つまり、展示室で、ただ作品を置くのではなく、キャプションにそのタイトルと作家名を示すことで作品が作品として位置づけられることは間違いないだろう。狭い会場や展示室の照明を落とした暗い会場であれば、ときに壁にはキャプションをつけずに、会場マップを別途用意してそこにタイトルがまとめて付されていることも珍しくない。ただ、いずれにせよ、私たちは、普段、タイトルや作家名を見ることなく作品だけを見る、ということはしない。

ちなみに先に紹介したパフォーマンス作品を手がけるセーガルの場合は、実は、展示室内にキャプションをつけること自体を許さない。さらに作品を写真や動画で記録することもご法度である。これは、キャプションを軽視しているのではなく、展覧会や美術館という枠組みのなかで作品を展示する際にキャプションがどれほど作品を作品らしく見せているか、また、そうした枠組みのなかで作品を展示するという行為は何を意味するのかを問う痛烈なインスティチューショナル・クリティークになっている。

さて、ここまでは「展覧会に一体何をどう展示するのか」ということを、キャプションなどに象徴される作品展示にまつわる物理的なしつらえを中心にみてきた。だが、作品を作品として位置づけるうえでさらに大切なキュレーターの仕事がある。それは、その作品を美術の文脈のなかに位置づける、という論理的なしつらえだ。逆パルメザンチーズのエピソードで言えば、最後の部分、

「「この作品は、現代社会をいままでの発想とは真逆の発想で捉えることを表している」とかって説明」を書く、という部分だ。つまり、作品に関するテキストを書く、作品を論じるということである。テキストというとカタログを思い浮かべる人もいると思うが、カタログそのものについては、また追って少し考える機会をもちたい。ここでは展覧会のためにある作品を選んで、それについて論じる、ということについて考えてみよう。

コラム　コロナ禍に寄せて――「ギモン３　何を展示するの？」の前に

以下は、青弓社のウェブサイト連載執筆時の二〇二〇年四月末の新型コロナウイルス感染症が広がるなかで、緊急執筆したものである。

いま、コロナ禍で展覧会やキュレーションを考えることが非常に困難な状況になっている。この二カ月あまりの間に新型コロナウイルスの感染拡大で、文字どおり世の中が一変してしまった。ここで今回、これまでの連載の続きを掲載する前に、この場を借りて、この状況下で展覧会やキュレーションに向き合うことについて少しふれてみたい。書いたところでいますぐ何かの解決につながるわけではないのだが、とにかく私自身、本連載を続けるうえで、刻一刻と変わるいまの状況を備忘録的に書き留めながら思考していくという以外にこれから先の原稿を書き進めるすべがない状況に陥っているので、このような脱線を許してほしい。また、ここで書いたことは、今後も状況に応じてもともとの本連載全体の構成をアップデートしながら、連載後半の内容に反映していきたい。

二〇一一年の東日本大震災のあとも、しばらくアートについて考えることができない、あるいはすぐにアートを通じてなんらかの行動を起こすことが難しいと感じる美術関係者は、私自身も含めて大勢いたと思う。もちろん、さまざまな芸術を通した救援活動やチャリティー、また津波被害にあった作品のレスキュー事業(1)などもおこなわれていたが、それは被災者支援、復興に向けた活動だった。現在進行中の世界的なパンデミックと九年前に東日本で起きた震災と放射能汚染とを単純に比較することはできないが、本連載でも追って危機的な状況に私たちの社会が陥ったあとのアートや展覧会のあり方などを考察していきたい。

今回のコロナ禍について現時点(二〇二〇年四月末)で言えることとは、一つの地域、あるいは一つの国にとどまらず、まさに地球規模で私たちが生きるということそのもの、また社会生活や経済活動に深刻な影響を及ぼしていて、しかもその「異常事態」が数カ月というごく短いスパンでもはや日常化しつつある、ということである。このような現況で美術の分野に限って簡単にこの二カ月あまりを振り返ってみると、中国を皮切りに韓国、ヨーロッパ、アメリカなど世界各国の美術館が二月から三月にかけて軒並み臨時休館に入り、多くの展覧会やアートフェアなどが中止・延期になった。[2] また私立美術館が多いアメリカでは、ＭｏＭＡやメトロポリタン美術館をはじめとする名だたる館でスタッフの解雇が始まっている。[3] 日本も首都圏など七都市を対象に緊急事態宣言[4]が四月七日に発令される前から、大規模なイベント実施に関して自粛モードに入り、二月末からは美術館や博物館も床面積千平方メートル以上の館を中心に臨時休館に入っていたが、発令後には、細々と開けていたコマーシャル・ギャラリーなども休廊を余儀なくされた。そして緊急事態宣言が四月十六日に全国に拡大されてからは、実質的に日本国内の展覧会という展覧会が中止や再開見込み不透明なまま延期などに追い込まれている。

このような状況下でも、なんとか芸術活動を続けようと世界各地でさまざまな試みがなされている。音楽や舞台芸術、パフォーマンスの分野で動画配信、ライブ配信などがおこなわれるのに続き、美術館でも、オンラインで公開するコレクションを充実させたり、展示したものの休館せざるをえなくなった展覧会をウェブサイト上で写真や動画を交えて紹介したり、カタログテキストをウェブサイト上で閲覧できるようにするなど、各館がしのぎを削っている。だが、展覧会というメディアは、本書の冒頭でも述べたとおり、そもそもが非常にアナログなメディアであり、展覧会に観客が実際にいってなんぼの世界である。したがって、今回のような事態にすぐさま対応しろと言われても、そう簡単にはいかないのも事実だ。また現在の現代美術の展覧会は、国際的な協力のもとに成り立っているものも多く、作品を国内外に輸送することや、展覧会場に国を超えてアーティストやキュレーター、クーリエ[5]などの人が移動することができない現状のなか、作品を展示する、という行為自体が不可能になっている。またアーティストやフリーランスのキュレーターなどは、予定していた展覧会が中止や延期になって収入が断たれる人も多い。ドイツ政府は、この事態のなかいち早く「アーティストは必要不可欠であるだけでなく、生命維持に必要な存在[6]」と断言し、フリーランサーや芸術家、個人業者に向けて五百億ユーロという大規模な支援を約束した。日本では、ドイツのような国レベルでの動きは鈍いが、地方自治体が独自の支援策を打ち出したり、各芸術団体やアーティスト、民間企業などが基金を設立したり、クラウド・ファンディングや各種の署名活動などが始まっている。

明日の暮らしをどうするのか、を考えなくてはならない事態のなかで、こうしたいますぐ必要な支援や対応について、それぞれができることを考え、動いていくことは大事だ。だが、同時にポスト・コロナ、ポスト・パンデミックの世界を考え始めることも重要である。感染の収束にはまだ相当の時間がかかりそうだし、この状況によってさまざまな価値観の変容が否が応でも起こっていることは確かである。世界的にこの危機的状況を共有した（大半がまだそのただなかにあるが）あとのポスト・コロナの世界では、私たちの暮らしのあらゆる面で、従来どおりというわけにはいかないことは明らかだろう。それは、人間の文化活動でも当然同じであり、本連載の根本的なテーマである、展覧会やキュレーションとは何か、またどうあるべきか、という問いにもつながっている。

連載は、これから続くギモン3の後半部分（「7　展覧会に出す作品を選ぶ行為」以降）を執筆当時（二月中旬）のままの原稿で以下、掲載するが、ギモン4以降はそうしたポスト・コロナ社会で求められる展覧会やキュレーションとは何か、という問題も考えながら、あらためて執筆していきたい。こんな時期に展覧会やキュレーションのことを論じるのか、と言われるかもしれないが、こんな時期だからこそみえてくるものがあると信じて、今後の連載を継続したい。

注

（1）文化財レスキューの具体的な事例は、例えば東京文化財研究所の「被災文化財レスキュー事業実施状況」などを参照のこと（https://www.tobunken.go.jp/japanese/rescue/110627/index.html）［二〇二三年十一月二十二日アクセス］。

（2）なお、先に流行して早くから都市封鎖に入った上海の美術館は、三月中旬から再開、北京の美術館も四月下旬から再開している。イタリアの美術館も五月中旬以降、再開の予定である。

コロナ禍の博物館活動全般については、ユネスコの報告書がオンラインで公開されている。UNESCO REPORT, "Museum around the world in the face of COVID-19"（https://unesdoc.unesco.org/ark:/48223/pf0000373530）［二〇二三年十二月八日アクセス］

（3）"MOMA AND NEW MUSEUM AMONG NY INSTITUTIONS CUTTING JOBS TO CURB DEFICITS," *ARTFORUM*, April. 3, 2020（https://www.artforum.com/news/moma-and-new-museum-among-ny-institutions-cutting-jobs-to-curb-deficits-82681）［二〇二三年十一月二十二日アクセス］、"METROPOLITAN MUSEUM OF ART LAYS OFF EIGHTY-ONE EMPLOYEES," *ARTFORUM*, April. 22, 2020（https://www.artforum.com/news/metropolitan-museum-of-artlays-off-eighty-one-employees-82782)［二〇二三年十一月二十二日アクセス］

（4）緊急事態宣言は、日本の新型コロナウイルス対策の特別措置法に基づく措置。総理大臣が宣言をおこない、期間や区域を指定した。対象地域では、外出の自粛をはじめ、感染の防止に必要な協力が要請された。多くの学校が休校し、自宅でのリモートワークが推奨された。二〇二〇年四月から二一年九月まで、多い地域では計四回の宣言が出された。

（5）美術作品のなかでも重要なもの、取り扱いに注意を要するものを貸し出す際に海外・国内輸送に同乗し、展示設営に立ち会い、作品の安全を確保する役目の人。集荷、開梱などのつど、作品の状態をコンディション・レポートという調書に記録する。

（6）モーゲンスタン陽子「ドイツ政府「アーティストは必要不可欠であるだけでなく、生命維持に必要なのだ」大規模支援」「ニューズウィーク日本版」二〇二〇年三月三十日（https://www.newsweekjapan.jp/stories/world/2020/03/post-92928.php）［二〇二三年十一月二十二日アクセス］

7　展覧会に出す作品を選ぶ行為

展覧会では、世の中にあまたある作品から、ある特定のものを選んで展示する。その特定のものを選ぶ基準を決めて、何をどのように展示するかを決めるのが、キュレーターの仕事とも言える。ギモン2の順路のところで少しふれたが、キュレーターは、一本の展覧会に通底するストーリー、あるいは展覧会のテーマ、企画のコンセプトを考え、それに基づいてある作品を選ぶ。アーティスト自身が企画をする場合はキュレーターを立てないこともあるが、その場合でも、アーティストがキュレーターの役割を兼務することには変わりない。つまり展覧会は、キュレーターが定めるなんらかの価値基準の下で選択される作品で構成される、きわめて恣意的なものである、といえる。

旧東ドイツ出身の哲学者・美術批評家であるボリス・グロイスは、著書『アート・パワー』のなかで、キュレーターやアーティストによってもたらされる展覧会の恣意性について次のように述べている。

「アーティストやキュレーターはこれら芸術の対象とされる物すべてを、純粋に私的で、個人的で、主観的な秩序に従って空間に配置する。このようにしてアーティストやキュレーターは、選択という私的な自己統治の戦略を公衆に表明する機会を得るのである[6]」

グロイスの指摘は、半分当たっているが、半分は正直、首を傾げたくなる。確かに展覧会で何を展示するかは、キュレーターあるいはアーティストが決めるにせよ、「純粋に私的で、個人的で、主観的な秩序に従って空間に配置する」ことができるなら、世の中のキュレーターたちはこんなに苦労していないだろう。そんな思いどおりの夢の企画が実現できることは、まずないと言ってもいい。たいていは、予算の問題や物理的な制約、また人的・政治的要因などさまざまな軋轢があるなかで、それでも自分の理想とする展示に向けて、あらゆる創意工夫をして、多くの人の協力を得て、ようやくなんとか納得できるものに落とし込んでいく、というのがキュレーションの現場の実態に近いと思う。

ただここで注目したいのは、グロイスの指摘のうち、当たっているもう半分のほうの話だ。先に述べたように、キュレーターの仕事の根幹をなす部分は、展覧会のコンセプト作りとそれに基づく作品の選定にある。展覧会は、グロイスが言うとおり、「選択という私的な自己統治の戦略を公衆に表明する機会」にはちがいない。だが、それは単に自分が好きなものを展示して終わり、ではない。展覧会の規模や種類にもよるが、都内の美術館での大型展覧会となると、家が一軒買えるぐらいの予算を扱う。これが公立館の場合なら、その財源は市民や都民の税金ということになる。特に公金を投じるタイプの展覧会の場合、キュレーターがある選択をして展示する以上は、その作品をどのように美術や美術史の文脈に位置づけるのかについて観客に公的に説明する責任が生じる。一つの展覧会を作るときに、あるコンセプトやテーマを設定した場合、それに沿ってさまざまな選択のプロセスが生まれる。ときには、そのプロセスのなかでコンセプトやテーマそのものを軌道修正していくことも少なくない。なぜAという作家ではなくBという作家を選ぶのか、あるいは同じ作家の手によるものでも、なぜCという作品ではなくDという作品を展示するのか、など一つひとつの選択をしながら、その理由を展覧会として広く観客に向けて示していくことが必要になる。またなぜその会場で、このタイミングで、そのテーマの展覧会をやるのか、ということも問われるだろう。それでも、この「選択」という展覧会の宿命は、ときにキュレーターにとってある種の権力を生み出す危険性もはらんでいる。

作品は、作家によって生み出されて、展覧会場に置かれて、観覧されることではじめて作品として多くの人が知ることになる。この作品を作品として位置づけるのがキュレーターだとすると、キュレーターがもつ責任は非常に重大だと言えるだろう。作品がなければ展覧会は始まらないが、キュレーターが選ばなければ、作品は日の目を見ることはない。ここでキュレーターは、その選定の根拠をしっかり説明する必要がある。ウォール・テキストやカタログは単なる飾りや展覧会の付属物ではなく、展示だけでは足りない部分を言葉を使って補足する大切な役割を担っている。特に近年の多様化する現代美術の場合、見ただけではわかりにくく、その背景の説明を要する作品も多い。観客は、展覧会に展示されたこうした作品を、その展覧会全体の説明や個々の作品に関する説明も含めて鑑賞する。さらには美術史家や美術評論家たちが、そうした作品展示のありようを論じ、言説化していくことで、あらためてキュレーターのキュレーションや、作品の意義や位置づけが問われていくのだ。

8　現代美術での作家とキュレーターの関係

現代美術の場合、作家が現役で活躍していることも多いので、展覧会に合わせて新作を作ってもらう、ということもできてしまう。ときには、評価が定まっていない作家の作品を展示することもあるが、特に若手の作家に依頼する際には最後まで結果がみえないというリスクも大きい。これは近代美術までのキュレーションとの大きな違いである。既存のものを見いだし、ときにはまったく新しい文脈から光を当てて選ぶという行為は、近代までの美術も現代美術も変わりないが、現代美術の場合はそれに加えて新しく作り出すという行為が可能になってくるのだ。そうしたプロセスで、まさに展覧会で作品を作品として位置づける行為は、作家とキュレーターによる共同・協働作業になっていくとともに、ある種の緊張関係を生み出す。

一九九〇年代に入って、特に現代美術の展覧会でキュレーターの役割が世界各地で急激に拡大してきたなかで、ヴェネチア・ビエンナーレやドクメンタなどの大型の国際展を華々しく取り仕切るキュレーターはスター・キュレーターともてはやされた。そのスター・キュレーターに選ばれる作家はスター・アーティストと呼ばれ、国際展の常連組になって作品が高値で取引され、世界の名だたる美術館で展覧会が開催されていった。そうした国際的な舞台で活躍するにはスター・キュレーターのメガネにかなう必要があり、そうしたキュレーターとワイン&ダイン（食事やお酒を一緒に楽しんで仲良くする、の意）するのが作家として成功への近道であるかのように揶揄されることも多かった。その一方で、そうした作家とキュレーターのパワーゲームに異を唱えるように特に二〇〇〇年代以降にはアーティスト／キュレーターと呼ばれるキュレーションを自ら積極的におこなうアーティストが登場している。また複数のキュレーターが一つの展覧会を作る共同／協働キュレーションの試みなど、既存の一人のキュレーターがすべてを取り仕切る形態とは異なる新しいキュレーションの方法が次々と実践されている。あるいは、従来の美術の展覧会の枠組みではなく、社会的な問題意識から、アーティストなどが自発的にプロジェクトを立ち上げるなど新たな方法論を模索する試みも近年増えている。例えばアーティスト集団の wah document（ワウ・ドキュメント）は、東日本大震災後の東北の被災地に赴き、子どもたちとワークショップを通して手製の映画館を作った[7]。あるいは、詩人の上田假奈代が主宰するＮＰＯ法人のココルームは、日雇い労働者や路上生活者が多く住む大阪のあいりん地区・釜ヶ崎で地元の「おじさん」たちを対象にした狂言、書道、音楽、美術、天文学など幅広いジャンルを扱う市民大学、ワークショップを「釜ヶ崎芸術大学」という形で継続的に実施している[8]。

こうしたさまざまな新しい試みは、作品を作品として位置づける行為が、これまでアーティストが作品を作り出し、キュレーターがそれを「展示する」という前提に成り立つものだったことを浮き彫りにする。と同時に、近年、観客やコミュニティが作品制作のプロセスに大きく関わる機会も増え、作品を作品として位置づける行為の主体者が必ずしもアーティストやキュレーターとはかぎらないという、現代美術ならではの状況が発生している。

ここまでみてきたとおり、展覧会は、確かに作品を作品と定義づけ、美術の文脈のなかに位置づける装置だったと言える。だが、その担い手については、誰が作品を作るのかという問いも含めて、あらためて考える必要がある。どのようにして作品が作品として成立するのかについて、本ギモンでは主にキュレーターの立場から考えてきたが、次のギモン4では視点を変えて、観客とアーティストの立場からもう一度考えてみることにしよう。

注

（1）拙稿「呼吸する環礁（アトール）――連なりの美学」、国際交流基金『呼吸する環礁（アトール）――モルディブ 日本現代美術展』所収、国際交流基金、二〇一二年、五九ページ

(2)『横浜トリエンナーレ2008カタログ』横浜トリエンナーレ組織委員会、二〇〇八年、一九七ページ

(3)加藤瑞穂氏へのメールによるインタビュー、二〇一九年十一月六日

(4)「田中敦子――アート・オブ・コネクティング」(二〇一一―一二年)、アイコンギャラリー(イギリス)、カステジョン現代美術センター(スペイン)、東京都現代美術館を巡回。

(5)岡崎の作品画像とタイトルは以下の記事を参照のこと。影山幸一「デジタルアーカイブを開始した美術家「岡崎乾二郎」」「artscape」二〇〇六年二月(https://artscape.jp/artscape/artreport/it/k_0602.html)〔二〇二三年十一月二十二日アクセス〕

(6)ボリス・グロイス「多重的な作者」齋木克裕訳、『アート・パワー』石田圭子/齋木克裕/三本松倫代/角尾宣信訳、現代企画室、二〇一七年、一五一ページ

(7)詳しくは「wah in 東北 9日間の活動レポート」(「wah document」二〇一一年七月六日〔http://wah-document.com/blog/2011/07/wah-in-東北%E3%80%809日間の活動レポート/〕〔二〇二三年十一月二十二日アクセス〕)を参照。

(8)釜ヶ崎芸術大学については下記を参照のこと。「NPO法人 こえとことばとこころの部屋cocoroom」(http://cocoroom.org/釜ヶ崎芸術大学・大学院2019/)〔二〇二三年十一月二十二日アクセス〕。なお、釜ヶ崎芸術大学は、二〇一四年の横浜トリエンナーレに作家として参加している。

ギモン4　作品って何？

1　作品は誰が作るのか

　ここまで美術館をはじめとする作品を展示する環境とその歴史的な成り立ち、また作品が展覧会での展示を通して作品として成立する過程でキュレーターが果たす役割などをみてきた。これらのギモンでは、アーティストが作品を作り、キュレーターがそれを「展示」する、という大前提を基本にしていた。だが、ギモン1で少しふれた一九九〇年代以降に急増した参加型の作品は、作品が成立するうえでアーティスト以外の複数の人が関わることが多く、この大前提にさまざまな問いを投げかけている。

　ところで、作品を複数の人による協働作業で作る、という行為自体は、美術史的にみれば、実は新しいものではない。ヨーロッパでは、特に中世からルネサンス期にかけて工房制度が発達し、絵画の制作は、アーティスト個人の表現活動というよりは、工房での分業による集団作業の成果物だった。近代以降、師弟関係に基づく工房制度は次第に廃れ、美術作品の制作のあり方も様変わりした[1]。現代美術では、単一の作者としてのアーティストという存在にかわって、地域住民や観客が作品の制作に関わることがごく一般的になってきた。例えばギモン1に登場したリクリット・ティラヴァーニャの「無題（デモステーション）」シリーズを思い起こしてみよう。展覧会の会期中、会場に用意された仮設舞台を地元のバンドや俳優たちが活用することで、そのプログラム自体が、作品を完成させていく。ティラヴァーニャは、作品のためのしつらえを用意し、ファシリテーター的にそこでの出来事を見守る。このような展覧会では、作品は誰が作ると言えるだろうか。そしてこうして作られた作品は、誰のものと言えるだろうか。またキュレーターは、こうした作品の「展示」に対して、どのような役割を担うのだろうか。

今回のギモンでは、作品とは何かを考えるなかで、特に作品の作り手にまつわるギモンに着目し、近年盛んになっている参加型の作品や、アーティスト以外の人々との協働制作の形式をとるような作品を中心に、具体的な事例をいくつかみながら参加者・観客側の視点から考えていこう。またそれを受けて、キュレーターの役割についてもあらためて考察してみたい。

2 「参加型」アートとは？

ここで、「参加型」という言葉の本書での位置づけを明確にしておく。そもそも展覧会は、観客がきて、作品を鑑賞する、という行為のもとに成り立っている。絵画や彫刻作品を観て、それについて観客が何かを感じる、ということも広義の「参加」にはなるかもしれない。あるいは、新型コロナウイルスの感染拡大による美術館休館ですっかりおなじみになったオンラインでのライブ配信型の作品や、VR（仮想現実／バーチャルリアリティ）で撮影された展覧会の視聴も「参加」と言えるだろう。逆に直接的な接触などを伴ういわゆるインタラクティブ（相互作用的）な作品を思い浮かべる人もいるかもしれない。ボタンを押したら何かが動作するとか、観客が展示室に入るとセンサーが感知して映像や音などが流れる、というタイプの作品だ。極端な話、どの作品も、最終的には鑑賞者がいてはじめて作品が完成する、とも言える。だが、本書で主に扱う「参加型」の作品は、観客や地域住民などが参加するプロセスそのものが、作品成立に深く関わっている類いのものを指す。例えば、台湾出身でニューヨーク在住のリー・ミンウェイは、一九九〇年代から作家自身と参加者による直接の対話に基づくプロジェクトや、展覧会場を訪れた人がリーのしつらえた環境でなんらかの作業や行為をすることを作品化したプロジェクトを数多く発表している。ニューヨークのロンバード＝フレイド・ギャラリーで二〇〇〇年におこなわれた『プロジェクト・ともに眠る

(The Sleeping Project)』では、画廊のなかに作られた隣り合ったベッドをもつ寝室空間で、抽選で招かれたゲストがリーと一夜をともにし、さまざまな出来事を語り合う。ゲストは、普段、自分が眠る際に手元に置いている時計や写真立てなどの私物を持参し、ベッド脇のナイトテーブルに置いて帰る。会場を訪れた人は、ナイトテーブルの上に残されたものを見ながら、そこで交わされた会話などを想像する。この作品は、もともとリーが高校生のときに夜行列車でパリからプラハに向かった際に乗り合わせた年配のポーランド人男性と一晩を過ごした体験から着想を得ている。その人物はホロコーストの生還者で、当時の収容所での様子や体験などをリーに語り終えたあと眠りについた。だがリーは、話を聞いて、その昔、もしかしたらいま、自分が乗っている列車と同じ線路の上を走っていた列車に夜通し乗せられて朝まで生きながらえなかった人もいたかもしれないなどと思いをめぐらせ、眠ることができなかった。この私的で強烈な体験をもとに、何年もたってから、「眠る」ことと、「(誰かと)ともに眠る」ことを作品にしようと考えたのがこのプロジェクトだったと彼は語っている。[2] このように自分以外の誰かと行為をともにすることが、リーの作品の根幹をなしている。その行為は、作家と直接協働作業をおこなう場合もあれば、展覧会場で観客の手に委ねられることもある。例えば『プロジェクト・手紙をつづる(The Letter Writing Project)』(一九九八年)では、会場内に障子の部屋を思わせる、すりガラスと木枠で三方を囲まれた三つのブースが設けられ、観客は、そのブースのなかに入ることができる。ブースのなかには机と便箋と封筒が置いてあり、観客は、誰かへの感謝、許し、あるいは謝罪の手紙を書くように促される。手紙を書き終えたら、持ち帰らずにブースの内側の壁にしつらえられた木枠に手紙を挟んでその場をあとにす

写真4-1　リー・ミンウェイ『プロジェクト・手紙をつづる（The Letter Writing Project）』（1998年）
Photo Courtesy of Davis Museum Wellesley College, photo by Anita Kan

る。手紙の封はしてもしなくてもいいが、封をしていない手紙はほかの人が自由に読んでいいことになっている。そして封筒の表に送り先の住所が書いてあれば、作家か美術館スタッフがかわりに投函してくれる、というプロジェクトだ。ここでは、手紙を書く、あるいは読むという観客の参加、そしてその行為によってそれぞれが個人のストーリーに思いをめぐらすことが作品の重要な一部になっている。

リーやティラヴァーニャのような参加型作品は、最終的な発表の場が美術館やギャラリーでの展覧会のことが多い。一方で、こうした地域住民や観客の直接参加などを伴う作品は、一九九〇年代後半から、リレーショナル・アート、コミュニティ・アート、あるいはソーシャリー・エンゲージド・アート（社会的な参加を伴うアート）という名称で、地

写真4-2　リー・ミンウェイ『プロジェクト・手紙をつづる（The Letter Writing Project）』（1998年）
Photo Courtesy of Taipei Fine Arts Museum

方自治体や学校でのアートプロジェクトやワークショップとして美術館やギャラリー以外の場所で実施される機会も多くみられる。例えばイギリスのアーティスト、ジェレミー・デラーは、なんらかの共通項をもつ地域住民など特定のコミュニティと協働して作品を制作することで知られている。初期代表作の一つ『アシッド・ブラス』（一九九七年）は、街なかのブラスバンドと、電子音楽とクラブ・カルチャーに端を発するアシッド・ハウスという一見まったく異なる音楽文化の間に奇妙な共通性を見つけたデラーが、イングランド北部の町ストックポートを拠点として活動するブラスバンドにアシッド・ハウスの生演奏を依頼したことから始まったプロジェクトだ。[3]『アシッド・ブラス』は瞬く間に人気を博し、イギリス各地で演奏されたほか、アルバムも発売されてバンドのレパートリーとしても演奏される長期プロジェクトになった。この作品についてデラーは、自身の制作のターニング・ポイントだったと述べている。「モノ（オブジェ）を作らなくてもいいんだ、と気づいた。こんなふうにイベントをやって、何かを巻き起こして、それを人々と一緒にやって楽しめばいいんだ。乱雑で野放しでオープンエンドなプロジェクトをすることで、伝統的なアーティスト像にこだわらなくてもよくなった。ブラスバンドが僕を解放してくれたんだ」(4)。デラーのプロジェクトは、単なる音楽のコラボレーションの域を超えて、それぞれの背景にある社会史を浮き彫りにし、異なるコミュニティ同士の新しい出会いを生み出すなど、さまざまな広がりをみせるプロジェクトになった。このように参加型作品の多くは、絵画や彫刻などのように物質的な作品として残るのではなく、なんらかの出来事が起こり、そのプロセスや結果を共有する行為そのものが作品になることを特徴としている。したがって、作品の形態も美術館での展示だけではなく、街なかなどでおこなわれるパフォーマンスやイベント、あるいはコンサートや映画など多岐にわたる。だが、こうした作品を実現するにあたっては、展覧会やアートプロジェクトなど、アートの枠組みがその背景にあることがほとんどである。

デラーは、このような手法を国際展の場でも取り入れている。例えば、ギモン1で少しふれたミュンスター彫刻プロジェクトは、ドイツの中世の面影が色濃く残る街ミュンスターで十年に一度開催される大型の国際展だが、デラーは二〇〇七年に参加した際に次回開催の十年後である一七年まで続く作品を発表した。彼は、ドイツで盛んなクラインガルテン、あるいはクラインガルテン運動を広めたシュレーバー博士の名にちなんでシュレーバーガルテンと呼ばれる市民農園に着目した。

そしてミュンスター郊外にある五十以上のクラインガルテン協会に、各農園での四季折々の天候や植物の移り変わりの様子、各協会での社会的・政治的な活動などを十年間にわたって日誌に記録してもらうよう依頼した。十年後の一七年には、そのうちの一つのクラインガルテン内にある小屋に、各農園の十年にわたる日誌約三十冊を自由に閲覧できるスペースを設けた[5]。各日誌にはそれぞれの農園の個性が反映されていて、家族やメンバーで集まってバーベキューやパーティーをしたときの写真、収穫された野菜の写真、新聞や雑誌の切り抜きなどが思い思いにスクラップされ、子どもたちが描いた絵やメンバーが書いた詩などとともにつづられていった。またミュンスター彫刻プロジェクトに訪れた人も、メッセージやイラストなどを記すことができるように、農園のメンバーが使っていたものと同じ様式の白紙の日誌も用意され、会期中次々と来場者が書きつづっていった。

クラインガルテンの活動自体は、デラーの呼びかけとは関係なくドイツで二百年以上の長きにわたって市民に親しまれている営みである。そのため、それだけでは作品にはならない。だが、アーティストが展覧会という仕組みや仕掛けを使って、普段であれば関わっている当事者たちも気がつかないような人々の市民農園での活動を、当事者たち、市民農園のことを知らない人々、国内外から集まる展覧会の観客に、目に見えるように提示、共有する場を農園のメンバーたちと十年という長いスパンをかけて作っていくことで、一つの作品になった。このように参加型アート作品は、それを通してさまざまな人々が有形無形のつながりをもつことが特徴である。また、参加型作品の大半は、長くても二、三カ月程度の会期の展覧会に向けて準備され、そのあとは終了してしまう。だが、『アシッド・ブラス』やクラインガルテンでのデラーの息の長い活動は、展覧会やアート作品の枠組みを横断しながら、それらを超えて、参加者側がその試みに自発的に参加し、ともに作り上げていると言えるだろう。また通常は、参加型作品は展覧会での発表が作品の最終的な完成形だと見なされがちだが、このように長期のプロジェクトでは、どこまで（いつまで）参加すれば、その作品が完成したと言えるのか、どこからどこまでが作品なのか、という問いを図らずも投げかけている。

3　作品は誰のものなのか

さて、ここでいま一度考えたいのは、こうした協働制作などを伴う参加型作品は誰のものなのか、またどこまでが作家の手によるもので、どこからが参加者の手によるものなのか、というギモンである。それを考えるうえで、二〇〇〇年にロンドン北部の小学校の児童がイギリス人アーティストのトレイシー・エミンと作った作品をめぐるエピソードを一つ紹介したい。この作品は、ロンドン北部と東部にある教会や礼拝堂などの宗教施設でおこなわれた「聖なるところにあるアート（Art in Sacred Spaces)」という著名な現代美術作家十二人によるグループ展の一環として展示されたものだった。エミンは、小学校の八歳児十二人に「美しいと思うものを教えて」というテーマで、言葉を募るワークショップをおこなった。そして「木」「日の出」「イルカ」「おばあちゃん」などの単語をつづったフェルトの文字が、子どもたちが持ち寄ったカラフルな端切れに子どもたち自身の手によって縫い付けられていった。最終的には、こうして制作したパッチワークでできたキルトを、地元の教会の祭壇に一週間展示した。ここまでは、よくある地元の子どもたちとのワークショップで協働制作された作品の話で、普段は自らのプライベートを暴くようなスキャンダラスな作品で知られるエミンの別の一面をみせるプロジェクトで終わるはずだった。だが、話はこれで終わらなかった。展覧会から約四年たった〇四年に、この作品をめぐる騒動が起きたのだ。作品を保管していた小学校が、この作品を長期間、安全かつ劣化しないように保管するための方策として、アクリル製の展示ケースを製作してはどうかと見積もったところ、四千ポンドかかるとわかった。そのような費用を捻出することが難しいと判断した学校が、苦肉の策として、同作品を競売にかけて、その売り上げ（三万ポンドから三万五千ポンド相当の見込み）を同校の芸術棟を充実させるために有効活用しようとした。だが、オークションハウスで有名なサザビーズは、この作品をまずはエミン本人が自身の作品だと認めないかぎり、作品の価値は端切れ代程度にしかならない、と学校側に伝えた。これに対してエミンは、もし作品を競売にかけるのであれば、それを自分の作品だとは認めないと主張し、さらには、作品の返還も求めると言いだした。最終的にはこの騒ぎの顛末は、展示ケースのための費用四千ポンドをエミンが負担する、ということで決着がついた[6]。作品を実際に〇〇年に制作したときには、エミンがコンセプトを考え、子どもたちとのワークショップにも立ち会い、エミンが参加するグループ展の一環として展示された。だが、このキルト作品が「トレイシー・エミンの作品」として、いざ評価額をつけるとなったとき、それは純粋に作家の作品と言えるのか、それとも協働制作者である子どもたちもまた作家と言えるのか、また作った作品は一体誰のものなのか、という作家と作品の曖昧な関係性を図らずも明るみに出すことになった。一口に協働制作と言っても、参加している側の作り手としての意識や作品に対する思い入れ、そして作家自身の参加者や作品に対する考え方は一律ではない。また、同じ作家による同じ枠組みで実施されたプロジェクトであっても、関わる人々が変われば異なってくるかもしれない。

ここで、作品の作り手についての考察をもう一歩進めていくうえで、エミンのプロジェクトとはまったく異なる参加型アートを実践している藤浩志の「かえっこ／Kaekko」を紹介したい。

4　システムとしての作品

「かえっこ」は、藤浩志が二〇〇〇年から始めたプロジェクトの総称で、家庭で不要になったおもちゃを交換するという仕組みそのものを作品化した、いわばシステム型の作品である。もともとは一九九七年ごろに藤の家で生じたゴミ出し問題に端を発し、家庭内でゴミを排出せずに、ゴミを再利用して表現行為に転換する「家庭内ゴミゼロエミッション」プロジェクトが「かえっこ」へとつながった。そこから二〇〇〇年の福岡アジア美術館での開館一周年イベントの一環として開催されたアーティストフリーマーケットに、藤が自身の子どもたちと出店したことがきっかけになり、その後、子ども向けのワークショップとして国内外の美術館やアートプロジェクトの場で「かえっこバザール」などの名称で盛んに開催されるようになった。そのなかで、交換したおもちゃがかえっこバンクでカエルポイントとして発行され、たまったポイントで気に入ったおもちゃを購入したり、オークションをおこなったりする仕組みが生まれた。また、おもちゃをもってこなくても、スタッフとして「かえっこ」の運営を手伝ったり、ワークショップの活動に参加するとカエルポイントがもらえるなど、おもちゃの交換をめぐってさまざまな活動が誘発される仕組みが整えられていった。(7)のちに藤は、このシステムそのものについて述べる際には、バザールなどの活動全体を指す「かえっこ」ではなく、「Kaekko」というローマ字表記を用いるようになった。ここで注目したいのは、この「かえっこ／Kaekko」が、美術館やアートプロジェクトでおこなわれるアーティスト藤浩志のワークショップ型プロジェクトから、誰でも開催できるシステム型プロジェクトとして瞬く間に広まり、環境問題に関心があるNPOや子育て支援グループ、街づくりの関係者など、従来のアートに従事する層とは異なる団体などがこぞって開催するようになったことだ。「かえっこ」を開催するにあたっては、かえっこ事務局に連絡すると、開催情報のウェブ掲載などの広報協力を受けることができるほか、カエルポイントを押すためのカエルスタンプやかえっこカードなどの開催に必要なツール、最初のおもちゃの貸し出しなどを受けることができる。だが、ここで「かえっこ」がほかの参加型作品と大きく異なる点は、「かえっこ」の開催の規模や目的は、主催者の裁量に任されているということだ。つまり「Kaekko」は、システムとして誰でも使えるようになっていて、そこにはもはやアーティスト藤浩志の名前は登場しない。私も当初は「かえっこ」を藤のワークショップ型プロジェクトとして認識して、実際に美術館やアートプロジェクトの現場で開催された「かえっこ」を見てきたのだが、ある日、ローカルのニュース番組で「かえっこ」が取り上げられていたのを目にして、ちょっとしたショックを受けた。その番組では、とあるNPO団体（子育て支援系だったか街づくり系だったかは記憶が定かではないが）の女性の代表が、「かえっこ」を開催していて、その活動について生き生きとした口調で語っている様子が取材されていた。そこに映る映像は、以前、藤のプロジェクトとして見ていた「かえっこ」そのものだった。おもちゃを交換する仕組みや、カエルポイント、運営をお手伝いする子どもたちなどをレポーターが「市民によるすてきな取り組み」ふうに紹介していた。だが、ニュースレポートはそこで完結し、それがもともとは藤浩志の発案だったことや、アート作品であることなどにはまったく言及がなく、当時、「え？これって藤さんの作品だよね？　著作権、大丈夫なの？」とあらぬ心配をしてしまったことを覚えている。藤は「かえっこ」について次のように述べている。「《かえっこ》は最初から「仕組み」の表現作品だと考えていました。使う人がコンセプトやプログラムを決めることでどんどん変わっていくタイプの作品です」[8]。さらに藤は、このシステムとしての「Kaekko」をそこで終わりにせず、それを利用して『Happy Paradies（ハッピーパラダイズ）』（二〇一五年）というインスタレーション作品として再び一つの形ある作品として引き戻す作業をおこなっている[9]。『Happy Paradies』は、マクドナルドの子ども向けのおもちゃ付きセットで知られる「ハッピーセット」でもらえるおもちゃと、それに類似したおもちゃ約一万四千個、おもちゃの一部や破片約二百五十個、おもちゃで作られた「夢の鳥」や「Toys Saurus」などの複数のオブジェからなるインスタレーション作品である。これらの素材になった大量のおもちゃは、全国で開催される「かえっこ」事業の終了後に残ったおもちゃが返却される過程で、次の「かえっこ」へと循環して活用されることがない、いわば

「子どもたちでさえ不要と思うおもちゃ」である。それらを色や形、大きさ、キャラクターなどによって数百種類に分類し、インスタレーション作品の素材として用いている。[10]さらにこの作品を展示する際には、「美術大学の学生との関係を尊重し、同じような、あるいは理想的にはもっと若い、まだ感性が柔らかい状態の学生」が、作家の指示どおりではなく、「自らの感性と意志で自由に並べること」[11]を重視している。このように「Kaekko」から派生した『Happy Paradies』もまた、形ある作品でありながらも、複数の他者の手による開かれた展示のシステムを提供している作品になっている。エミンの作品で争点になった協働制作による作品の「作家性」は、藤の「Kaekko」や『Happy Paradies』では軽やかに解体されてしまい、物理的なモノではなく、システムそのものに宿る。藤のこのような実践は、小説などの文学作品の作者と読者の関係を想起させる。小説などの作品を書くのは作者だが、その作品をめぐる多様な解釈は、実際に作品を読む読者一人ひとりに委ねられていて、作者自身の作品に込めた意図に必ずしも縛られることはない。

ここで、参加型アートでの作家についての考えを深めるための手がかりとして、文学作品での作者と読者の関係をめぐる議論を少しのぞいてみよう。

5　参加型アートの「作者」とは?

文学作品などの「作者」については、一九六〇年代のフランスで、ロラン・バルトが「作者の死」（一九六八年）、ミシェル・フーコーが『作者とは何か？』（一九六九年）と相次いで論考を発表している。なかでもバルトは、「作者の死」という象徴的な言葉で、テキストをめぐる作者と読者の関係を論じていて、その考え方はアートの理論にも大きな影響を与えている。バルトは、「一遍のテクストは、いくつもの文化からやって来る多元的なエクリチュール〔引用注：書かれた言葉〕によって構成され[12]」た「引用の織物である[13]」と言う。そしてこの多元的なエクリチュールによって織物のように編まれた作品の「多元性が収斂する場」は、「作者ではなく、読者である」とし、次のように結論づける。「読者の誕生は、「作者」の死によってあがなわれなければならないのだ[14]」。つまり、作者が書いた作品は、作者の手を離れて、読者によって自由に解釈されていくというのだ。それまで作者というのは、作品の意図や解釈を支配する神のような存在と思われていた。だがバルトの「作者の死」は、作者ではなく、作品の受け手である読者がその作品を読む行為によってそれぞれの意味を見いだすと説く。これは、従来の作者と作品の関係性を根本から問い直すような考え方だ。それは、まるで美術作品の唯一の作り手とされてきたアーティストと作品の関係性が、参加型アートの台頭によって揺らぐさまと呼応しているかのようだ。例えば、先にみた藤の「Kaekko」システムは、参加者・鑑賞者によって藤浩志という一人のアーティストの手から離れて、自由に運用され、享受されている。だが、このことは、「Kaekko」というシステム型作品を生み出した藤自身の存在を完全に消し去ってしまうわけではない。

バルトが言う「作者の死」に対して、フーコーは作者は実在すると異を唱えている。ただし、ある一冊の書物を記した一個人としての作者、という存在としてではなく、作者というものが果たす機能に着目し、作者と作品の関係性をさまざまな角度から分析している。例えば、ジークムント・フロイトというのは単に『夢判断』という本の作者であるだけではなく精神分析学の創始者であり、それによって精神分析に関するさまざまなテキスト、概念、仮説などの言説を生み出す機能をもっている、[15]と説く。フーコーは、「機能としての作者」は、「言説の世界を取りかこみ、限定し、分節する法的制度的システムと結びつく」と言う。そしてそれは、時代や文明の形態によって「一律に同じ仕方で作用するものではない[16]」と指摘している。さらにフーコーは、こうして生まれた言説は、それを生み出した「ある現実の個人」に帰属させるのではなく、「複数の立場＝主体を同時に成立させることができる[17]」と述べている。美術作品に当てはめて考えてみると、バルトやフーコーの「作者」と作品をめぐる論考は、参加型アートでは、非常に興味深い視点を与えてくれる。作家と鑑賞者が、それぞれ作品の「作り手」と「受け手」としてはっきりと分断されていた従来の作品と異なり、参加型アートの場合、鑑賞者も書き手になり、織物のように作品を作り出していく。ただし、そこで作者はバルトが言うような「死」を迎えるのではなく、フーコーが言うように作者も鑑賞者も複数の作り手になり、多元的・主体的に作品を形成していく。それぞれの作家の作品は、もともとは作家の個人的な原体験などから着想を得て生まれているが（ティラヴァーニャの祖母の家での料理、リーの夜行列車での体験など）、それが参加者を招くことで、参加者各自の体験や経験などと重なり合いながら、作品になっていく。そういう意味では、作品は作家一人のものではないが、作家自身の存在を否定するものでもないといえるだろう。そしてフーコーが言うようにこうして生まれた作家や作品をめぐる言説は、それを取り巻く社会的なシステムと結び付いていて、その背景になる時代や文化によって多様な姿をみせている。

6　参加型アートでのキュレーターの役割

　ここまで協働制作を伴う参加型の作品での作家と参加者・鑑賞者の関係をみてきたが、ここで少し視点を変えて、こうした作品でのキュレーターの役割についても考えてみよう。先に紹介したデラーのような実践は、ソーシャリー・エンゲージド・アートという枠組みで論じられることも多い。ソーシャリー・エンゲージド・アートというカタカナの用語は、特に二〇〇〇年代になって日本でも使われる機会が増えてきた。これらの多くは、美術館のなかではなく地域のコミュニティなどで実践され、ときにその地域が抱える社会的な問題を解決するための手立て、あるいはそうした問題をあぶり出すためのツールとして、アートの手法を使っていることが多い。イギリスの美術史家クレア・ビショップは著書『人工地獄』で、美術史や美術批評に照らし合わせながら、パフォーマンス、演劇、美術教育なども含めた幅広い参加型の実践を、多数のアーティストや参加者たちへのインタビューなどを交えながら多角的な視点から紹介し、分析を試みた。そこで彼女はキュレーターの役割について、次のような重要な指摘をしている。「各プロジェクトに責任を持ち、ときに――しばしばアーティスト以上に――一部始終に立ち会う唯一の存在になるキュレーターの手に、参加型アートの主な語り手としての権利が委ねられる」。ビショップは、そうした「キュレーターたちの語りにおいて、批評的な客観性が排されていること」に失望し、そのことが彼女の研究の重要なモチベーションになったと述べている。ビショップが言うとおり、プロジェクト全体を把握しているキュレーターや、こうした実践についてキュレーターの言葉を頼りに研究・批評する者にとって、特に「プロジェクトの中心要素に人間関係の形成があり、それが特定の主体によるリサーチに否応なく影響を与えてくるような場合」に「かかわりが深まるほど、客観的で居づらくなる[18]」ことは確かだ。こうした状況に対して、ビショップは美術史家としての立場からあくまでも客観的に分析を試みるが、そもそも、参加型プロジェクトで、当事者としてのキュレーターが参加者、アーティストとともに人間関係を形成していくのは、ある意味で必然的な結果であり、逆にそうした人間関係が形成されなければ、しばしば長期にわたるプロジェクトを遂行することは不可能になるだろう。そのプロセスのなかで、キュレーターは、そのプロジェクトの推進者、アーティストや参加者の伴走者であることが求められる。同時に、最終的にはその結果を展覧会やアートプロジェクト、あるいはカタログや報告書として外に向けて発信していく役割も担う。そこでビショップが言うような客観性をどこまで担保する必要があるかは、プロジェクトの目的や対象にする観客によっても異なってくるだろう。ここで最後に、参加型アートでは作品は誰のために作るのかをあらためて考えてみたい。

7　作品は誰のために作るのか

協働制作を伴う参加型アートで誰がその作品を享受するのか、ということを考えると、一義的には、そのプロジェクトに直接参加したある特定の個人やグループ、コミュニティの人たち、ということになるだろう。だが、それがアートの文脈で語られるとき、作品はその一義的な参加者のためだけのものにとどまらない。作品の展示やパフォーマンスのお披露目、映像上映などで、それらを鑑賞するより多くの人々が、一義的な参加者たちの体験を追体験したり、それぞれの記憶や体験、人生のストーリーなどと結び付けたり重ね合わせたりしていく。もちろん、プロジェクトの協働制作を直接担った参加者と、それを展示室などで鑑賞する鑑賞者でまったく同じ体験ができるわけではないだろう。それでも、一つの作品として展覧会の文脈で発表され、多くの人に共有され、享受されることで、最終的には、広義の「参加型作品」が成立すると言える。また参加型作品の作り手は、作家一人にとどまらない。参加者と鑑賞者も主体的にそのプロセスに関わり、キュレーターとともに、多元的な織物のような作品とそれを取り巻く言説を作り上げていく。

あらためて、作品とは何か、というギモンに立ち返ると、作品を成立させる諸条件は、作品を取り巻く環境、歴史的背景、作品制作の方法論など非常にさまざまな要素が絡み合っていることがわかる。参加型の作品をめぐって、作品が一人の作家によって作り出され、完成し、展示されるもの、という前提から大きくはみ出していくなかで、作家と観客の間にある境界線が曖昧になっていき、アーティストとキュレーターの役割も交錯していく。従来の作品を作る人＝作家、見る人＝観客、作品を選んでその場をしつらえる人＝キュレーターという構図がより有機的・複合的に絡まっているさまを、これまでみてきた事例からも垣間見ることができる。本ギモンの後半では、参加型作品をめぐる作家と観客、キュレーターの関係を少し駆け足で論じたので、消化不良を起こした方もいるかもしれない。これから続くギモン5とギモン6では、観客の文化・社会的背景に焦点を当てながら、作家や作品と観客との関係、キュレーターとの関係についてあらためて解きほぐしていきたい。

注

（1）ただし、こうした工房制度スタイルは、現代美術でいまでも一部健在であり、それについては近い将来、また別の機会に論じてみたい。

（2）“LEE MINGWEI: THE SLEEPING PROJECT, 2000”（https://www.perrotin.com/artists/lee_mingwei/550/the-sleeping-project/48708）［二〇二三年十一月二十二日アクセス］。オリジナルの作品では、交わされた会話は録音されて会場で聞くことができたようだが、近年の再制作では、ゲストが持ち込んだオブジェがナイトテーブルに置かれるだけになっている。なお、本書に登場するリーの作品の日本語タイトルは、すべて森美術館「リー・ミンウェイとその関係展——参加するアート—見る、話す、贈る、書く、食べる、そして世界とつながる」カタログ（二〇一四年）に掲載されているものを採用した。

（3）『アシッド・ブラス』については、BBC2で二〇一二年二月二十四日に「The Culture Show」で放映された「Acid Brass: Jeremy Deller」に簡潔にまとめられている。“Acid Brass–Jeremy Deller–The Culture Show (24/02/2012),” YouTube (https://www.youtube.com/watch?v=gBJxMQGYXM4)［二〇二三年十一月二十二日アクセス］

（4）“Acid Brass, 1997,” *Jeremy Deller* (https://www.jeremydeller.org/AcidBrass/AcidBrassMusic.php)［二〇二三年十一月二十二日アクセス］

（5）Kasper König, Britta Peters and Marianne Wagner eds.,『Skulptur Projekte Münster 2017』カタログ、Spector Books、二〇一七年、一七〇ページ

（6）この事件についでは複数のイギリスメディアが報道しているが、ここでは以下のウェブサイトを参照した。Tony Mooney, “Blanket refusal,” *The Guardian*, March. 30, 2004 (https://www.theguardian.com/artanddesign/2004/mar/30/art.schools)［二〇二三年十一月二十二日アクセス］, “Emin wants school quilt returned,” *BBC News*, March. 30, 2004 (http://news.bbc.co.uk/2/hi/uk_news/england/london/3584273.stm)［二〇二三年十一月二十二日アクセス］, “Emin pays to show school's quilt,” *BBC News*, April. 6, 2004 (http://news.bbc.co.uk/2/hi/uk_news/england/london/3603787.stm)［二〇二三年十一月二十二日アクセス］

（7）「かえっこ」誕生の詳しい経緯は、「《かえっこ》から《Kaekko》までトークバトル」（藤浩志責任監修『「かえっこについてかたる。」——かえっこフォーラム2008記録集』（「水戸芸術館現代美術セ

ンター資料」第八十二号）所収、水戸芸術館現代美術センター、二〇〇九年）を参照のこと。
（8）同書二四ページ
（9）『Happy Paradies』についての考察は、同作品を収蔵した金沢21世紀美術館の野中祐美子による以下の論考を参照されたい。野中祐美子「藤浩志《Happy Paradies（ハッピーパラダイズ）》――拡張する作品概念」「Я［アール］――金沢21世紀美術館研究紀要」第七号、金沢21世紀美術館、二〇一七年
（10）同論文九二ページ
（11）同論文九五ページ
（12）ロラン・バルト「作者の死」『物語の構造分析』花輪光訳、みすず書房、一九七九年、八八ページ
（13）同書八五―八六ページ
（14）同書八八―八九ページ
（15）ミシェル・フーコー「作者とは何か？」『作者とは何か？』清水徹／豊崎光一訳（「ミシェル・フーコー文学論集1」）、哲学書房、一九九〇年、五三―五五ページ
（16）同書五〇ページ
（17）同書五〇ページ
（18）クレア・ビショップ『人工地獄――現代アートと観客の政治学』大森俊克訳、フィルムアート社、二〇一六年、二〇ページ

ギモン5　日本人向けの展示ってあるの？

1　現代日本の美術とは？

突然だが、あなたは日本美術と聞くと、何を思い浮かべるだろうか。日本画や絵巻物、掛け軸、屛風絵などの墨や岩絵の具を使った絵画、浮世絵などの版画、あるいは漆器や陶磁器、金工、竹細工などの工芸品だろうか。仏像や寺院を思い浮かべる人、着物などの染色や織物を思い浮かべる人もいるかもしれない。では、「日本の現代美術」と聞くとどうだろうか。水玉で埋め尽くされる草間彌生のインスタレーションや、アニメのキャラクターを想起させる村上隆の作品などは、アートに普段なじみがない人でも、目にしたことがあるだろう。これらの「日本の現代美術」には、なんらかの共通項があるのだろうか。また「日本の」現代美術は、世界のそのほかの地域の現代美術と何か異なるのだろうか。「日本」というキーワードをめぐる美術作品やその展示というのは、ネットで瞬時につながるグローバル化した現代世界でどういった意味をもつのだろうか。また、そうした「日本の現代美術」作品を展示するキュレーターは、日本人である場合とそうでない場合に、何か違いはあるのだろうか。そして「日本の現代美術」の展示を鑑賞する観客が日本人の場合とそうでない場合に、その受け止め方に違いがあるのだろうか。そもそも日本人向けの展示というものはあるのだろうか。

ギモン4で、ミシェル・フーコーの言葉を手がかりに作者と作品の関係を考えた際に、作家や作品をめぐる言説はそれを取り巻く社会的なシステムと結び付いていて、その背景になる時代や文化によって多様な姿を見せている、と駆け足で述べた。本ギモンでは、この点にもう一度立ち返り、日本の文化や歴史、社会的背景と日本の現代美術の関係に焦点を当てて、これまでとはまた別の角度から作家、作品、展示、キュレーター、観客にまつわるギモンを捉え直す。そして「日本の現代美術」を日本人のキュレーターが日本の観客に向けて展示することについて、ある特定地域の美術に焦点を当てた展覧会のキュレーションの国内外での動向なども踏まえながらあらためて考えてみたい。

2 東京二〇二〇と文化プログラム

東京二〇二〇オリンピック・パラリンピック競技大会（以下、東京二〇二〇と略記）の開催が決まった二〇一三年ごろから、インバウンドというカタカナ言葉をやたら耳にするようになった。インバウンド（inbound）とは、もともとは「本国行きの」「市内行きの」など外側から内側へ向かう移動を意味する英語だが、日本では、もっぱら海外から日本を訪れる旅行、すなわち訪日外国人旅行のことを指す。日本は、〇七年に観光立国を目指して観光立国基本推進法を制定し、翌〇八年には観光庁を設置した。結果として、ビザの緩和や免税措置などさまざまな振興策が功を奏し、〇五年に六百七十万人だった訪日外国人旅行者数は、一五年には千九百七十三万人を超えるまでに急増した(1)。また二〇年のオリンピック開催に向けて全世界からの誘客四千万人を目指し、一八年から三カ年計画での一大プロモーションが観光庁の旗振りのもとに計画された(2)。

一方、東京都と文化庁でも、東京オリンピック・パラリンピック競技大会組織委員会と緊密に連携をとりながら、それぞれ東京二〇二〇に向けて展覧会事業や公演事業などの各種文化プログラムを推進すべく、さまざまな政策をとってきた(3)。二〇二〇年春には、新型コロナウイルス感染症の世界的な拡大によって東京大会が二一年に延期され、それに伴って各種文化プログラムもその計画の多くは二一年に延期され、さらにこの原稿を執筆していた二〇二一年五月には、三回目の緊急事態宣言が六都府県に発出され(4)、不透明な状況へと変更を余儀なくされた。だが、この東京二〇二〇を契機として進められた文化・観光面での政策やプログラムの数々と、コロナ禍が世界各地の美術展事業にもたらした影響は、現代美術の展示での「日本」というキーワードをめぐるあれこれを考えるうえで、いくつかの有益なヒントを与えてくれると思われるので、ここで少し詳しくみていきたい。

はじめに、そもそもオリンピック開催がなぜ文化プログラムの推進と関係があるかについて疑問に感じるかもしれないので、簡単におさらいしておこう。国際オリンピック委員会（ＩＯＣ）が定めた近代オリンピックに関する規約であるオリンピック憲章では、その根本原則でオリンピズムを「人生哲学」と位置づけ、「肉体と意思と知性の資質を高めて融合させた、均衡の取れた総体としての人間を目指すもの」としている。そして同憲章の第五章第三十九条に、オリンピック競技大会組織委員会は、オリンピック村の開村期間に「複数の文化イベントのプログラムを計画しなければならない」[5]と定めている。つまり、文化プログラムの実施は、オリンピック開催国の義務になっているのだ。また近年の文化プログラムは、オリンピック開催期間を超えて長期化・大規模化していて、なかでも東京二〇二〇関係者の多くが参照している第三十回のロンドン大会（二〇一二年）での文化プログラムは、開催年に向けて四年間にわたるカルチュラル・オリンピアードという公式プログラムが過去最大規模でロンドンをはじめ、イギリス全土で約十七万七千件以上実施され、観光産業やクリエイティブ産業に大きく貢献したことは記憶に新しい。特にオリンピック開催中を含む十二週間にカルチュラル・オリンピアードの締めくくりとして実施されたロンドン・フェスティバルは、二百以上のプログラムが美術や音楽、映画、障害者芸術などの多岐にわたる分野で実現されて二千万人が参加した。[6]

こうしたロンドンでの大きな成功事例を踏まえ、東京二〇二〇でも、文化プログラムをオリンピック開催前から長期にわたって日本国内各地で実施することが基本方針に位置づけられた。また二〇一六年には国の文化審議会で、文化庁の移転と東京二〇二〇を契機にした文化プログラムの推進による遺産（レガシー）の創出という二つの課題を踏まえて文化政策の機能強化が審議され、一六年十一月には、「文化芸術立国の実現を加速する文化政策[7]」という答申がとりまとめられた。この答申では、東京二〇二〇を世界が日本に注目し、日本から世界に文化発信をする好機と捉えている。さらに東京二〇二〇終了後も、そのレガシーの創出までを政策のなかに位置づけて、メディア芸術などを含めた幅広い分野での新たな文化芸術活動に対する支援や人材育成、基盤整備を進め、「文化芸術立国」を目指すとしている。つまり、この東京二〇二〇が契機になって、観光立国と文化芸術立国という国の政策が文化プログラムを通して推進されることになったのである。

3　日本らしさと日本文化発信

こうして東京二〇二〇を取り巻く文化政策は、日本人が考える日本文化を、さまざまな文化プログラムを通して海外に向けて発信することを目的として進められた。まず、インバウンドを促すには、ビザの緩和などの法的な整備に加えて、日本でしか味わえない魅力、日本らしさを海外に向けてアピールすることが肝要である。こうした魅力を備えた、いわゆる観光資源のプロモーションのなかで、日本文化が果たす役割は大きい。美術の分野で考えると、文化財などのほか、日本美術のコレクションを擁する美術館や博物館も重要な観光資源である。例えば、東京二〇二〇に向けて、公共交通機関や観光地だけでなく、美術館や博物館も国立博物館・美術館を皮切りに二〇一五年前後から多言語化対応が進められた。日本語と英語はもちろんのこと、特に近年急増したアジアからの観光客を意識した中国語と韓国語も含んだ四カ国語による作品解説やキャプション類が、常設展示だけでなく企画展示でも見られることが一般的になっている。解説の文字情報が多い場合は、QRコードから各国語に翻訳された解説文を読むことができるケースも少なくない。またこうした多言語への翻訳は、外部の翻訳者に発注するだけでなく、国立の博物館では各言語を母国語とするスタッフや日本美術を専門とする外国人スタッフを採用しているところも多い。こうしたスタッフは多言語対応にとどまらず、海外の美術館・博物館との人物・学術交流や、国際的な展覧会事業のコーディネートなども務めている。[8]

また文化プログラムの一環として、文化庁主催の博物館や芸術祭などの展覧会を東京二〇二〇開催年に先立って国内外で開催したほか、東京をはじめとする日本国内各地で、文化庁が中心になって日本博[9]という一大文化事業が企画された。日本博は、総合テーマに「日本人と自然」を掲げ、「美術・文化財」「舞台芸術」「メディア芸術」「生活文化・文芸・音楽」「食文化・自然」「デザイン・ファッション」「共生社会・多文化共生」「被災地復興」という八つの分野にわたって「縄文時代から現代まで続く「日本の美」を国内外へ発信し、次世代に伝えることで、更なる未来の創生を目指し」てスタートした。これには文化庁が主催するもの、美術館や博物館と共催するもの、また地方公共団体や民間企業の事業を補助する事業などがあり、二〇二一年の時点でコロナ禍によってさまざまな会期・内容変更などがあったものの実施された。さらに東京二〇二〇終了後には、「日本博2.0」として、二〇二五年開催の大阪・関西万博に向けて、「日本の美と心」を国内外に発信する取り組みが始まった[10]。

この「日本博」が掲げるテーマと各分野は、現在の日本人が考える日本らしさ、日本の文化、日本の美術を海外から日本に来る外国人に向けて発信する一連の事業であり、各分野でどのような事業を展開しようとしているかという日本博のウェブサイトでの説明と、実際にどのような事業が実施・採択されているのかを見渡してみると、大変に興味深い。なかでも不自然な印象を受けるのは、近年現代美術の一領域として扱われることが一般的になった「メディア芸術」が、「美術・文化財」とは切り離されて一つの独立した分野になっていることだ。これは、長年文化庁が実施してきた文化庁メディア芸術祭[11]や、経済産業省が中心になって官民が連携して推進している「クールジャパン」戦略[12]と無関係ではないだろう。また全体のテーマは縄文時代から現代まで続く「日本の美」を国内外に発信し継承していくことを謳っているが、これはあたかも日本の美術が縄文時代から現代にいたるまで、単線的に発展してきたかのような印象を与える。だが、いまの日本の美術を形成している要素の多くは縄文時代よりもずっとあとになって中国大陸や朝鮮半島からもたらされた文化の影響が大きい。さらに明治時代の近代化による西洋文化の影響や戦後のアメリカ文化の流入などもある。このように日本の美術がさまざまな要素を折衷的に取り入れてきたという事実を、日本のオリジナリティを強調するために都合よく排除しているようにも思われる。

これまでみてきたように、東京二〇二〇を契機に海外に向けて発信された日本らしさや日本美術というものは、国を挙げて戦略的にプロモーションされたものだったといえるだろう。この日本らしさや日本美術というコンセプトや枠組みは、現代美術の文脈では、過去にも日本の現代美術が海外、特に欧米で紹介される際にさまざまな物議を醸してきた。ここで少し時間を巻き戻して、一九八〇年代と九〇年代の欧米での日本の現代美術の紹介のされ方についてみてみよう。

4 一九八〇年代から九〇年代の欧米における日本現代美術の紹介

海外での大々的な日本美術の紹介はギモン1でも少しふれたが、古くは十九世紀の万国博覧会が大きな役割を果たした。戦後の現代美術の分野に絞ってみると、一九五二年に日本が初参加したヴェネチア・ビエンナーレをはじめとする国際展は、海外での日本美術の紹介の主な舞台の一つだった。その後も六六年にニューヨーク近代美術館で開催された「新しい日本の絵画と彫刻（The New Japanese Painting and Sculpture）」展などいくつか日本の現代美術に焦点を当てた展覧会は開催されたものの、その評価は「日本の現代美術は欧米の模倣である」[13]という見方を長く欧米の美術関係者に印象づけるものだった。それが八〇年代に入って、日本がバブル景気によって国際的な経済大国として注目を浴びるようになったころと時を同じくして、日本の現代美術を紹介する展覧会が欧米の美術館で盛んに実施されるようになり、そのなかで日本の現代美術に対するアプローチも多様化した。日本の現代美術が海外で盛んに紹介されるようになったのは、七二年に外務省の監督のもとに国際文化交流事業を通して国際相互理解の増進と国際友好親善の促進をおこなうことを目的に設立された国際交流基金のはたらきも大きい。ここでは紙幅の関係で詳細は割愛するが、国際交流基金は、現在もヴェネチア・ビエンナーレ日本館の主催者であり、また特に八〇年代から九〇年代にかけては、海外の美術館などと共催して日本の美術を紹介する展覧会事業を数多く手がけてきた[14]。なかでもパリのポンピドゥー・センターで八六年に実施された「前衛芸術の日本 1910―1970展(Japon des avant-gardes 1910－1970)」は、絵画や彫刻、インスタレーションのほか、建築、デザイン、工芸、写真など多岐にわたるジャンルの作品を通して、戦前から戦後にいたる日本の美術を包括的に紹介した大規模な展覧会だった。また九四年に横浜美術館で開催され、その後ニューヨークのグッゲンハイム美術館やサンフランシスコ近代美術館に巡回した「戦後日本の前衛美術展 空へ叫び(Japanese Art after 1945: Scream against the Sky)」は、約百人の作家による絵画、彫刻、写真、ビデオ、インスタレーションなど百八十点の作品を通じて、戦後日本の前衛美術の歴史を展観するニューヨークでは過去最大規模の日本美術展になった[15]。光山清子は、その著書『海を渡る日本現代美術』で戦後から九五年までの日本の現代美術の海外での受容について、欧米で実施されてきた展覧会を詳細に分析・考察している。ここでは光山が取り上げたなかでも、欧米の日本美術研究者にいまでもよく参照されている「前衛芸術の日本」展と「戦後日本の前衛美術」展の二つの重要な展覧会を、彼女の分析と考察を参照しながら少しみていこう。

5 「前衛芸術の日本」展での日本の美術とその受容

「前衛芸術の日本」展のキュレーションについては、「展覧会は国際交流基金との共催だったが、このような包括的なもの〔視覚芸術だけでなくそれと関連した領域を取り込んだアプローチ：引用者注〕を提案し、全行程を通じてイニシャティヴをとったのはポンピドゥー・センター」であり、こうした包括的アプローチは「企画当初からの重要な原則であった」[16]という。この展覧会に先立って、ポンピドゥー・センターでは「パリ―ニューヨーク 1908－1968」展（一九七七年）や「パリ―モスクワ 1900－1930」展（一九七九年）などパリを中心とするフランスと他国の都市とのある時代の文化的関連に焦点を当てるような展覧会を催していた。したがって「前衛芸術の日本」展も、日本がどのように西洋の前衛運動と関わったかを検証することを目的としていた。だが、そのアプローチは、特に日本の批評家や美術関係者からヨーロッパ中心主義だという批判を受けることになった。この展覧会で扱う年代の区切りである一九一〇年から七〇年という設定はあくまでもヨーロッパの前衛運動の歴史的文脈を参照したものであり、日本のそれとは関係がないこと、またこの展覧会では、彼らが用いた「前衛」の概念に基づいてヨーロッパ的な観点から日本美術が紹介されたことが問題視された。[17]ここで興味深いのは、光山が指摘するように、こうした日本での批判に対して同展に関わった高階秀爾と千葉成夫が「この展覧会はフランスのイニシャティヴによってフランスの観客のために企画されたものであると述べてこれを擁護している」[18]ことである。つまり、フランス人のキュレーター[19]たちは、この展覧会がフランスの観客にとっては二十世紀の日本美術を初めて包括的に紹介する機会になるため、観客が「慣れ親しんだヨーロッパ前衛美術運動の歴史に沿うかたちをとること」で「日本美術には不案内な観客にも参照事項を与えられるだろうと考えた」[20]。しかし結果的には、こうしたキュレーター側の意図とは裏腹に、観客の大半は、この展覧会を通して日本の前衛美術はヨーロッパの前衛美術の模倣だと受け止める結果になった[21]。

6　「ガイジン」のキュレーションによる「戦後日本の前衛美術」

一九九五年は第二次世界大戦の終戦五十周年を迎える節目の年だったが、その一年前の九四年に「戦後日本の前衛美術」展が横浜美術館で企画され、その後九四年から九五年にかけてニューヨークとサンフランシスコに巡回した。この展覧会のキュレーションを担当したのは、当時ニューヨークと東京を拠点に活動していた二十世紀の日本美術研究者でインディペンデント・キュレーターだったアメリカ人のアレクサンドラ・モンローだった。この展覧会でモンローは、日本の前衛美術がいかに「西洋美術の範疇で分類されることを拒み、理論の構築を「自己」の内に求めた」[22]かを描き出そうとした。そのため、それまで日本国内の美術関係者にはなかった視点を持ち込み、日本で大きな論争を引き起こした。それに対してモンローは、この展覧会が「ガイジン」によってキュレーションされたという「誤解」があったと弁明し、そうではなく、主催者である横浜美術館の学芸員との協議を踏まえながらキュレーションをおこなったと主張した[23]。だが、この点は、光山も指摘するように、この展覧会のカタログに記載された主要テキストの大半を執筆したのはモンロー自身であり、「日本側がコンセプトのレヴェルで展覧会に本質的な貢献をしたとは考えにくい[24]」。一方で光山は、モンローの高い日本語能力と日本文化に関する豊富な知見に根ざしたキュレーションによるこの展覧会、そしてそれを支えてきた研究を「戦後日本美術史の構成・修正に大きく寄与するところがあった[25]」と高く評価している。例えば、書や陶芸など、いわゆる伝統美術の分野で活動する前衛作家は、日本国内でも戦後美術史の文脈のなかで見落とされてきていたが、この展覧会では墨人会や走泥社[26]など前衛書家や前衛陶芸家のグループに属する作家たちの作品も紹介され、こうした動きへの再評価を促した。つまりこの展覧会は、日本のことをよくわかっていない「ガイジン」ではなく、日本研究を専門とするアメリカ人キュレーターが企画したものであり、日本美術の展覧会企画で、必ずしも日本人だけが優れた企画、日本美術の実態により忠実なオーセンティックな（本物らしい）企画ができるとはかぎらないことを立証したといえるだろう。

このように海外で日本の現代美術を紹介した記念碑的な二つの展覧会である「前衛芸術の日本」と「戦後日本の前衛美術」は、性格は異なるものの、いずれも欧米出身のキュレーターが主導した展覧会であり、これまでにない切り口とスケールで欧米の観客に日本の現代美術を紹介することに貢献した。しかしその手法が、現地だけでなく（後者は横浜美術館で展覧されたこともあるが）、日本国内の美術関係者の間で物議を醸したことは興味深い。そこには、やはり日本美術のことは欧米人よりも日本人のキュレーターのほうがよりオーセンティックな企画ができるという幻想があったように思われる。それは、特に一九九〇年代にアジアやアフリカなどの非西洋・非欧米地域[27]の現代美術を欧米に紹介する展覧会が、当の欧米諸国でも美術関係者の間でさまざまな物議を醸した動きとも関係している。そこで議論の中心になったのは、誰が誰（あるいは何）を誰のために表象するのか、という問題だった。これは展覧会の場合で言えば、どこの国や地域出身のキュレーターが、どの国や地域の美術をどこの国や地域にいる観客に向けて企画するのか、という問題である。こうした問いに対して、もう少し考えを深めていくために、ある特定の国や地域の美術を紹介する展覧会で、特に九〇年代に現代美術関係者の間で大きな問題になった「他者」の表象に関する論争をみていこう。

7　「他者」の表象と日本の現代美術の表象

ギモン1の「美術館と展覧会の歴史的背景」の箇所で少し述べたが、欧米社会でもそれ以外の地域でも、「美術史」と言えば、長年「西洋美術史」を示すことが一般的な認識だった。だが、一九八〇年代末の冷戦の終焉と九〇年代の物流や経済のグローバル化、テクノロジーの発達による情報化の波を受けて、文化の面でも変化を余儀なくされ、そのなかで非欧米地域の美術史の検証と理論化が進められてきた。現代美術史も長らく単線的な西洋美術の歴史の延長線上に位置づけられてきたが、九〇年代にポスト・コロニアル（ポスト植民地主義）の議論が盛んになるにつれて、複眼的な視点から、それまで美術史の外に置かれていたアジアやアフリカなど多様な地域の美術も含めて美術史を編み直す動きがみられた。国際的なビエンナーレやトリエンナーレでも非欧米地域の現代美術とその表象が大きなテーマとして各地で積極的に取り上げられるようになった。そこで議論の中心になったのは、「他者」の表象を取り巻く言説だった。

英語で「the Other（他者）」と大文字の「O」を用いる場合、それはポスト・コロニアルの言説でしばしば用いられる特殊な哲学用語を指す。「他者」とは、要は、異性愛者の白人男性から見た「他者」であり、有色人種、女性、そして同性愛者やトランスジェンダーを含むＬＧＢＴＱ＋などの社会的少数派、マイノリティーを指す。こうした「他者」は、歴史的にも政治・経済・社会活動面でも表舞台から排除され、社会的弱者としての立場を余儀なくされてきていて、現在もその不均衡は是正されていないのが現実である。美術の世界でもその傾向は同じであり、例えば一般的な美術史の教科書に名を残すような女性アーティストの数は、国や文化によって多少の差はあるものの、歴史的にみれば男性アーティストの数よりも圧倒的に少ない。また非欧米諸国のアーティストは、一九九〇年代に入るまでほとんど欧米で紹介されることがなかった。それが、グローバル化と情報化の展開を受けて世界中を簡易に移動できたり、瞬時にネットワークでつながったりできるような動きが一気に加速し、美術の世界でもそれまで知ることが困難だった遠方の地での情報がリアルタイムで入手できるようになった。こうした状況に伴って、それまで文化的にも「周縁」とみなされてきた非欧米地域の美術が九〇年代に入って瞬く間に盛んに紹介されるようになった。こうした非欧米地域の美術を紹介する展覧会は、主に欧米のキュレーターが欧米の観客のためにキュレーションする、という帝国主義的・植民地主義的手法が長らく主流を占めてきた。だが九〇年代には、そうしたアプローチに批判が高まるようになった。

「表象（representation）」という言葉についても少し補足しておきたい。表象とは、「他者」同様、記号論や人類学などで用いられる哲学用語である。文字どおり訳すと「(何かや誰かの）かわりに示す、表現する」という意味になる。美術の場合だと、ある文化的な特徴を「表象」するものとして作品を捉えたり、あるいはある特定の国や地域の美術を紹介する展覧会のことを、その国・地域の美術を「表象」する事象として扱う。例えば、日本の現代美術作品を集めた展覧会は、日本の現代美術を表象するもの、ということになる。このように「他者」の表象というのは、現代美術の場合、非欧米地域の文化や美術、あるいは女性などのマイノリティーの文化や美術をどのように作家やキュレーターが表し紹介しているのか、という意味で用いられている。

先に述べたとおり、一九九〇年代に入って、非欧米地域の美術を欧米のキュレーターが欧米の観客に向けて紹介するという植民地主義的な展覧会への批判が高まった。それに対して、当該地域出身のキュレーターであれば、より本物らしい、その地域の美術を表象できるのではないか、という期待が、欧米の美術関係者のなかでも寄せられていた。例えばアフリカの美術の展覧会ならアフリカ出身のキュレーター、アジアの美術ならアジア出身のキュレーターのほうが、より忠実にその地域の美術を理解し、欧米出身のキュレーターにはない視点からよりオーセンティックな展覧会を作れるのではないか、と思われたのである。先に述べた戦後の日本美術を紹介する二つの展覧会が実施されたのは、そうした論争が盛んになった時期でもあった。

8 ディアスポラなアーティストとキュレーターの登場

グローバル化が進むなかで、同時に世界的に台頭してきたのが、グローバルとは対極にある「ローカル」を志向する潮流だった。欧米中心主義で画一的なグローバルに対して、自分たちが住む国、地域、地元ならではの個性、よさ、価値観、文化を大切にして、それを外に向けてアピールするような傾向である。美術の場合はそれが国際展などで顕著に現れた。またこうした国際展も、それまではヴェネチア・ビエンナーレやドクメンタ（ドイツ）、あるいはホイットニー・バイエニアル（アメリカ）など欧米を中心として開催されていたが、一九九〇年代に入って、光州（韓国）、上海、台北、横浜、アジア太平洋（ブリスベーン、オーストラリア）などアジアを中心とする非欧米地域で新しいビエンナーレやトリエンナーレが次々と立ち上がった。こうした新興の国際展は、欧米のそれと差別化を図るうえで、その土地ならではのローカルな文脈を強調したり、その地域・国らしさを売りにする戦略が多くみられた。そしてそのなかで台頭してきたのが、非欧米地域出身のキュレーターやアーティストだった。これらの国際展では、それまでの欧米の国際展では紹介されてこなかった、その開催地域出身のアーティストが、同じく開催地域出身のキュレーターによって数多く紹介された。だが、こうした非欧米地域出身のアーティストやキュレーターの多くは、実は欧米で教育を受けたディアスポラなアーティストやキュレーターであり、この「本物らしさ」や「その国・地域らしさ」をめぐる表象の問題はより混迷を深めることになった。

ここで、「ディアスポラ」という聞き慣れないかもしれない言葉を少し説明しよう。「ディアスポラ」とは、ギリシャ語で「離散」を意味する言葉で、もともとはパレスチナを離れて世界各地で暮らすユダヤ人のことを指していた。それが転じて近年は、政治的・思想的な理由で国を離れ、自国以外の場所を拠点として活動をおこなう者のことを意味する。現代美術の世界では、一九八九年の天安門事件をきっかけとして、多くの中国人アーティストやキュレーターがほかの知識人とともにニューヨークやパリへと移り住み、ディアスポラなアーティストやキュレーターの先駆けになった。また九〇年代は、アジアやアフリカの富裕層の子弟や国費留学生などが欧米に留学することが一般的になり、彼らが大学卒業後に自国に戻って活躍する機会が増えた。例えばタイでは、主にアメリカの大学や大学院に留学したアーティストやキュレーターが、タイに戻ってアーティスト・ランのスペースを設立して運営したり、アートプロジェクトを企画するなどの動きが活発化した。こうした欧米で教育を受けたディアスポラなアーティストやキュレーターは、英語、フランス語、ドイツ語などの欧米の主要言語と、アートの専門用語（ジャーゴン）という二つの特殊な「言語」を駆使することに長けていて、欧米の専門家に対して、わかりやすく非欧米の表象を語ることができるという、ある意味、特権的な立場にいた。[28] つまりこうしたアーティストは欧米の美術関係者に対して、わかりやすいオーセンティックな「ローカル」の作品を提示することを得意にしたのである。またキュレーターは、そうしたアーティストを、「グローバル対ローカル」や「グローカル」「ハイブリッド」などの当時の流行の言説を巧みに用いながら、その地域の美術を代表するものとして積極的に紹介する役割を果たした。だが、こうした他者の表象の立役者だった彼ら自身が、それまで欧米出身者が主流だった「スター・キュレーター」「スター・アーティスト」と呼ばれる国際展の常連組に同じように名を連ねるようになるまで時間はかからなかった。皮肉なことに結果的には、世界中どこの国際展にいっても、同じディアスポラなスター・キュレーターが選定する同じくディアスポラなスター・アーティストの顔ぶれによる企画が散見されることになった。そして、こうした非欧米地域の美術の展覧会は、同じく非欧米地域出身のキュレーターが手がけるほうがよりオーセンティックな表象になる、という一種の幻想的な期待が欧米・非欧米双方の美術関係者のなかで徐々に崩れ始めていった。

9 共同／協働キュレーションによる新しい試み

二〇〇〇年代に入って、こうした他者の表象をめぐる議論は、世界各地で盛んにおこなわれた共同（協働）キュレーションなどの試みによって、新たな方向性を模索していくようになった。そこでは誰が誰を表象するのかというよりは、お互いがお互いに対話を通して新しい表象の可能性を切り開くというスタイルが主流になっていて、その傾向はいまも続いている。日本では、国際交流基金アジアセンターが主催した「アンダー・コンストラクション――アジア美術の新世代」展がその好例の一つになった。この展覧会は、インドネシア、インド、韓国、タイ、中国、日本、フィリピンから九人の若手キュレーターがアジア各地でリサーチしてアジアの表象を共同で模索する、という一大プロジェクトだった。このプロジェクトでは、〇〇年から参加キュレーターによる調査とセミナーがおこなわれ、〇一年から〇二年にかけて、アジア七都市で単独あるいは共同でキュレーションした展覧会を実施し、最終的には東京でそれまでのローカル展を総括する展覧会を開催した。このプロジェクトをきっかけにして構築されたアジア人キュレーターやアーティスト、美術関係者のネットワークは、その後の日本国内外のアジアの表象をめぐる展覧会にも大きく貢献することになった。

　また二〇一三年に森美術館で開催された「六本木クロッシング2013展　アウト・オブ・ダウト――来たるべき風景のために」もオーストラリア人キュレーターのルーベン・キーハンとアメリカ人キュレーターのガブリエル・リッターが森美術館の片岡真実と共同でキュレーションをおこなった。「六本木クロッシング」は、日本の多様なジャンルのアーティストやクリエーターを紹介する展覧会で、同館で〇四年にスタートし、三年に一度開催されている。四回目の一三年は、海外から日本の現代美術に精通しているキーハンとリッターの二人のゲストキュレーターを迎え、若手作家だけではなく、異なる世代の作家や海外在住の日本人作家なども加えて、日本の現代美術を多角的に検証する機会にした。ここで大切なのは、キーハンが述べているようにこの展覧会が、「日本美術とは何なのか、何だったのかという問いではなく、日本美術がどうなりうるか、そして何ができるのか」、そして「単に約一億三千万人の住む列島という場ではなく、何十億という人々がその意味を共有し、協議している日本という考え、概念に対して何ができるのか[29]」という問いを、投げかけている点である。

10 「日本の」現代美術

さて、ずいぶんと回り道をしてしまったが、「日本人向けの展示というのはあるのだろうか」というギモンを発端にして、ある特定の国や地域の美術を表象することをいろいろと考えてきた。ここで考えたかったことは二つある。日本の現代美術は、誰にとって、誰が発信する日本らしさ・日本文化らしさなのだろうか、そして、現代の日本人にとって、あるいは世界の人々にとってその国らしさを表象するということはどういった意味をもつのだろうか、ということだ。というのも、一国の文化をプロモーションするというのは、それが誰に向けたものであれ、第二次世界大戦中のナチス・ドイツの一大文化プロパガンダや、戦時中の日本の文化統制などを彷彿とさせるナショナリズムと切り離して考えることができない、危険と背中合わせの行為だからである。異文化はもとより、ＬＧＢＴＱ＋や障害者など多様な背景をもつ人々に対する社会的包摂（インクルージョン）が必要とされる現代社会で、ある特定の文化を表象することに対して、私たちは注意深くあるべきだ。

また、ここでこれまで当たり前のように用いてきた「日本の」現代美術が規定する日本や日本らしさは、実は一定の決まりきった概念ではなく、時代によっても、また個々人によってもその定義は揺らいでいるものだということには留意する必要がある。日本は単一民族による単一国家だという幻想が長らくあったが、近年のアイヌや琉球文化への見直しや、日本に長期滞在している日系ブラジル人やアジア人労働者などの地域コミュニティとの関わりにまなざしを向けることは、そうした考え方に一石を投じている。

また、同じ「非欧米地域」の「アジア」でも、例えば日本の現代美術の国内外での紹介のされ方と、植民地支配を経験したほかのアジア諸国の現代美術の紹介のされ方を同一視することはできない。もっと言えば、「東洋」というコンセプト自体も、西洋側に規定されてきたものであり、そのことを忘れて十把ひとからげに「アジア」の美術とか、「日本」の美術という言い方をすることは、非常に乱暴な態度である。(30) したがって「日本の」現代美術の展覧会が開催されるときに、それが誰によって誰のために開催されているか、というその背後にある文脈によって、その定義は常に流動的であることは頭の片隅に置いておく必要があるだろう。

さらに、先に登場した「他者」や「表象」という言葉も、もともとは英語の「the Other」「representation」という欧米の知識人層で用いられる専門用語である。そもそもこれまでみてきた展覧会や美術館という枠組みそのものや、現代美術というカテゴリー自体が西洋生まれの概念だった。美術という日本語自体が明治の時代に翻訳されて生まれたものだったように、文化や地域によって美術や現代美術の定義そのものも統一されたものではないことは、ローカルの文脈を考えるうえで大切な要素だろう。

国を挙げて推進されてきた東京二〇二〇の文化プログラムに関連する展覧会の多くは日本で実施

されたが、コロナ禍の影響で、実際に会場を訪れることができたのは当初想定していた海外からのインバウンド客ではなく、主には日本国内の観客だった。これらの展覧会を鑑賞する側から見れば、政府や組織委員会の思惑とは裏腹に、それが外国人向けに作られようと日本人向けに作られようと、もはや結果的には大差がないように見受けられる。もっとも、いまとなっては比較検証することも物理的にできないのだが。これらのプログラムの多くは、主には海外の観客に向けて日本文化を発信するものだったが、海外と一口に言っても、それは日本人や日本文化の定義が一様ではないように、海外を単に日本以外の国や地域と規定した、かなり大ざっぱで漠然とした定義だと言えるだろう。先にみてきたように多言語化対応の際に英語だけでなく中国語と韓国語が加えられたことは、想定されていたインバウンド客のなかでもアジアの観客を意識したことは推察される。だが、ここで言うアジアも正確には東アジアだけで、西アジアや東南アジアは含まれていない。

11　コロナ禍での文化の表象

ある特定地域の美術の表象が一九九〇年代に問題になったように、それを享受する観客についても、単純に「日本」の観客、「アジア」の観客とひとくくりにすることは、このグローバルな現代社会では時代錯誤的な発想だと言わざるをえない。むしろコロナ禍という特殊な状況を経て、どこの国のアーティストもキュレーターも、そして観客も自由に移動することが制限され、自国にとどまることを余儀なくされたことで、この問題はまた新たな局面を迎えたのではないだろうか。

例えば、コロナ禍で展覧会や美術関係のシンポジウムもオンラインのプログラムが増えて、どこにいても、世界中のプロジェクトやプログラムを享受できるようになった。そうしたプログラムでは世界各地をリアルタイムで同時に結ぶものも多い。そうなった場合に、対象になる観客の居住地域はもはや重要な要素ではなくなってしまう。開催されるプロジェクトのテーマや内容に関心がある層であれば、言語や時差の問題はあるかもしれないが、基本的には誰でもどこからでも参加できる。そこでは何がオーセンティックなのか、ということはもはや問題にされないし、逆にいまを生きる私たちに何が必要なのか、またそれを異なる文化や社会に生きる各自がどう受け止めるか、それぞれの状況でどう対処しているのかを互いに学び、共有しあうことのほうが喫緊の課題になっていると言えるだろう。それは、キーハンらが提起した日本の現代美術に対する問いと共通する姿勢ではないだろうか。

これまでみてきたように、日本の現代美術の表象は時代とともに変化しつづけている流動的なもので、現在のグローバルな文脈では、日本の現代美術も、ほかの地域の美術の表象と同じく複眼的に思考することが求められていると言える。一方で、このギモンの冒頭で少し例示したように、「日本の現代美術」と言われて、私たちがなんとなく曖昧にそれらしく思い描くもの、があることも事実である。それが東京二〇二〇の文化プログラムでは、よりはっきりと極端な方向性をもって可視化されることになった。だが、そもそも「日本人」にしかわからない「日本の現代美術」の展示などあるのだろうか。「日本人」のアイデンティティや定義が揺らぐなかで、同じ日本人でも年齢や住んでいる地域、生きている時代、自らの関心の対象によって、現代美術の受け止め方もそれぞれであるにちがいない。つまり、「日本人」だから「日本の現代美術」がわかるとは限らないのだ。だが、展覧会で「わかる」ことは重要なのだろうか。あるいは、誰にでもわかる展覧会というものはあるのだろうか。次のギモンでは、こうした問いについてより考えを深めていくために、赤ちゃん向けの展示があるのかという問いを通して、展覧会の観客についてまた別の観点から考えていきたい。

注

（1）ＪＴＢ総合研究所「インバウンド」「観光用語集」（https://www.tourism.jp/tourism-database/glossary/inbound/）［二〇二三年十一月二十二日アクセス］

（2）観光庁「訪日旅行促進事業（訪日プロモーション）」（https://www.mlit.go.jp/kankocho/shisaku/kokusai/vjc.html）［二〇二三年十一月二十二日アクセス］

（3）ここでは詳しく紹介できなかったが、東京都が進めている文化プログラムは「Tokyo Tokyo FESTIVAL」事業を参照されたい。東京都生活文化スポーツ局「Tokyo Tokyo FESTIVAL（2020大会文化プログラム）」（https://tokyotokyofestival.jp）［二〇二三年十一月二十二日アクセス］

（4）東京都、大阪府、京都府、兵庫県の四都府県に二〇二一年四月二十五日から五月十一日まで発出。五月十二日からは愛知県と福岡県も加わり、五月三十一日までの延長が決まった。緊急事態宣言に追加される県は原稿執筆時（二〇二一年五月）も増加傾向にあり、五月三十一日に解除される見通しも立っていなかった。

　また五月十二日からの延長に際して、当初、東京国立博物館、東京国立近代美術館、国立新美術館、国立科学博物館、国立映画アーカイブの国立館五館は開館、都の美術館・博物館は三十一日まで臨時休館延長になって、国と都での対応が異なるというちぐはぐな状況が生じた。これについて都からの要請を受けて、国立五館も休館を継続することが五月十二日に決まった。その後六月二十日には沖縄を除く九都道府県でいったん解除されたものの、七月十二日から東京都に四回目の緊急事態宣言が発令され、のちに大阪をはじめとする他府県もこれに加わった。こうした合間をぬうように東京二〇二〇が無観客で開催されたのは、当時の混迷ぶりを象徴する出来事だった。

（5）オリンピック憲章と文化プログラムの関係は、文化審議会第十四期文化政策部会（第二回）議事次第資料1－1文化庁説明資料を参照。文化庁『文化プログラムの実施に向けた文化庁の取組について——2020年東京オリンピック・パラリンピック競技大会を契機とした文化芸術立国実現のために』文化庁、二〇一六年（https://www.bunka.go.jp/seisaku/bunkashingikai/seisaku/14/02/pdf/shiryo1_1.pdf）［二〇二三年十一月二十二日アクセス］

（6）Arts Council England/LOCOG, *Reflections on the Cultural Olympiad and London 2012 Festival*, Arts Council England/LOCOG,2013（http://www.beatrizgarcia.net/wp-content/uploads/2013/05/Reflections_on_the_Cultural_Olympiad_and_London_2012_Festival.pdf）［二〇二三年十一月二十二日アクセス］

（7）文化審議会『文化芸術立国の実現を加速する文化政策（答申）——「新・文化庁」を目指す機能強化と2020年以降への遺産（レガシー）創出に向けた緊急提言』文化審議会、二〇一六年（https://www.bunka.go.jp/seisaku/bunkashingikai/sokai/sokai_16/pdf/bunkageijutsu_rikkoku_toshin.pdf）［二

〇二三年十一月二十二日アクセス〕

（8）例えば、東京国立博物館では、二〇一八年の時点では中国人二人、韓国人二人、アメリカ人一人のスタッフが国際交流室という部署で業務にあたっている（王蕾「多言語対応から感じた日本と中国の美意識」東京国立博物館、二〇一八年六月二十九日〔https://www.tnm.jp/modules/rblog/index.php/1/2018/06/29/多言語対応/〕〔二〇二三年十一月二十二日アクセス〕）。

（9）日本博については、文化庁／日本芸術文化振興会『「日本博」について』（文化庁／日本芸術文化振興会、二〇一九年〔https://www.bunka.go.jp/seisaku/nihonhaku/pdf/r1413086_02.pdf〕〔二〇二三年十一月二十二日アクセス〕）を参照のこと。文化庁／日本芸術文化振興会「日本博」（https://japanculturalexpo.bunka.go.jp/ja/about/）〔二〇二三年十一月二十二日アクセス〕

（10）「第3回「日本博総合推進会議」配布資料」二〇二二年五月十二日（https://japanculturalexpo.bunka.go.jp/ja/about/assets/pdf/20221226nihonhaku2.0.pdf）〔二〇二三年十一月二十日アクセス〕

（11）文化庁メディア芸術祭は、「アート、エンターテインメント、アニメーション、マンガの四部門において優れた作品を顕彰するとともに、受賞作品の鑑賞機会を提供するメディア芸術の総合フェスティバル」である。一九九七年から実施されてきたが、二〇二二年に実施された第二十五回文化庁メディア芸術祭受賞作品展を最後に公募が終了し、二三年の文化庁メディア芸術祭25周年企画展をもって実質的に終了した。詳細は文化庁「文化庁メディア芸術祭」（https://j-mediaarts.jp）〔二〇二三年十一月二十二日アクセス〕を参照のこと。

（12）クールジャパン戦略は、内閣府の知的財産推進事務局による以下のウェブサイトを参照のこと。内閣府「クールジャパン戦略」（https://www.cao.go.jp/cool_japan/about/about.html）〔二〇二三年十一月二十二日アクセス〕

(13) 光山清子『海を渡る日本現代美術――欧米における展覧会史1945～95』勁草書房、二〇〇九年、六五ページ
(14) 国際交流基金に関しては拙著『現代美術キュレーターという仕事』（青弓社、二〇一二年）でも詳しく紹介しているので参照されたい。
(15) 両展覧会のデータは国際交流基金文化事業部編『国際交流基金展覧会記録――1972－2012』（国際交流基金、二〇一三年）を参照した。
(16) 前掲『海を渡る日本現代美術』一五八ページ
(17) 同書一五九ページ
(18) 同書一六一―一六二ページ
(19) 同展では「コミッショナー」という呼称を使用しているが、キュレーターとほぼ同義なので、本文では便宜上、キュレーターと記す。
(20) 前掲『海を渡る日本現代美術』一六二ページ
(21) 同書一六二ページ
(22) 同書一六七ページ
(23) 同書一六六ページ
(24) 同書一六六ページ
(25) 同書一六八ページ
(26) 墨人会は一九五二年に京都で結成された書家のグループ。走泥社は、四八年に京都で結成された陶芸家のグループ。いずれもモンローがこの展覧会で紹介したことで、日本の現代美術史の文脈のなかに彼らの活動が位置づけられる大きなきっかけになった。例えば走泥社については、二〇一九年に森

美術館で特集展示が組まれ、この展示の共同企画者だったアーティストの中村裕太が、一九五〇年代から六〇年代の現代陶芸に呼応する新作インスタレーションを発表するなど、ユニークな試みがおこなわれている。森美術館ウェブサイト「MAM リサーチ007：走泥社―現代陶芸のはじまりに」(https://www.mori.art.museum/jp/exhibitions/mamresearch007/index.html)［二〇二三年十一月二十二日アクセス］

(27) 便宜上、西洋／欧米という用語を使うが、これらは同じ西洋のなかでも正確には特に西欧諸国また北アメリカだけを指していて、東欧や北欧、中南米は、アジアやアフリカ諸国同様に長らく周縁地域とみなされていたことに留意したい。

(28) ディアスポラの知識人については、香港出身のレイ・チョウ『ディアスポラの知識人』(本橋哲也訳、青土社、一九九八年)を参照されたい。

(29) ルーベン・キーハン「喪失の構造、解放の構造」、森美術館編『六本木クロッシング2013 アウト・オブ・ダウト――来たるべき風景のために』所収、平凡社、二〇一三年、二一二ページ

(30) タイの美術史家であるアピナン・ポーサヤーナンは、こうした「西洋」に対するアジアの単一的な「東洋化」や「アジア化」という見方に対して異を唱えている。Apinan Poshyananda, "Roaring Tigers, Desperate Dragons in Transition," in Apinan Poshyananda eds., *Contemporary Art in Asia: Traditions, Tensions*, Asia Society Galleries, 1996, p. 24.

ギモン６　赤ちゃん向けの展示ってあるの？

１　乳幼児を対象にした展覧会

二〇一〇年の夏、東京都現代美術館で「赤ちゃんから大人まで楽しめる」参加型・体感型の展覧会「こどものにわ」[2]がオープンした。同館では、それまで教育普及プログラムの一環として乳幼児を対象にしたワークショップやギャラリーツアーを実施していたが、展覧会として実施するのはこれが初めてだった。結果的には約二カ月の会期中に八万三千人を超える入場者があり、展示室入り口のベビーカー置き場は連日ベビーカーであふれかえることになった。この展覧会は、卑近な例だが私自身が同館の学芸員として四年越しで準備して実現した展覧会だった。

展覧会は通常、館の学芸員による企画会議で各学芸員からのプロポーザルなどと年間のプログラムの予算、同時期開催予定の展覧会同士の内容のバランス、実施のタイミングなどをもろもろ検討しながら決まる。この展覧会に限って言えば、実施が決まるまで三年、実施決定から展覧会オープンまで一年を要した。三年間、企画会議で却下されるたびに案を練り直して企画書のブラッシュアップを重ね、その根拠になるための調査研究を進めた。なかでも、上司から言われたいちばんの却下理由は、「赤ん坊にアートを見せても、わからないのでは？　展覧会に連れてくる意味があるのか？」というものだった。そう、そもそも赤ちゃんにアートを見せても、わかるのだろうか。赤ちゃん向けの展示というものはあるのだろうか。ギモン5では、日本人向けの展示に関するギモンを入り口として、キュレーションを取り巻く文化の表象の問題を考えた。本ギモンでは、同じ日本人でも世代が異なる場合、特に乳幼児を対象にした展覧会のケースについて取り上げる。まず前半で、近年の乳幼児の認識能力に関する研究をひもといていきながら、赤ちゃんと美術館の関係を考えたい。また後半では、「こどものにわ」を具体的な事例として取り上げながら、世代や背景が異なる人々に対する展覧会や社会的包摂を考えた展示について、その可能性を探っていきたい。

2　「子ども向け」の展示とは？

もういまから十五年以上前の話だが、当時二歳になったばかりの息子をベビーカーに乗せて、広島市現代美術館で開催されていたシリン・ネシャットの展覧会[3]にいった。息子は、親の仕事の都合上、ゼロ歳児のころから美術館には連れ回されているのだが、その日も、たまたま帰省先の広島で開催中のシリン・ネシャットの展覧会に息子連れで訪れた。シリン・ネシャットはイラン出身の女性アーティストで、イスラム世界の女性の存在などをテーマにした写真や映像作品で国際的に活躍している。扱っている写真や映像は、黒いベールを被った女性や儀礼の様子、イスラム社会の男女の対比を描くものなど、深刻で重い内容のものがほとんどである。息子には悪いが、完全に親の興味でいった展覧会だった。だが、『パッセージ』（二〇〇一年）という映像作品の部屋で息子が釘付けになり、ほかの展示室を回ったあともその部屋に戻って何度も観たがったのだ。結局、ほかの展示室をそそくさとあとにして、ずいぶん長い時間、その部屋で過ごすハメになった。作品自体は埋葬の儀礼が題材になっていて、前半は、黒いスーツ姿の男性たちが海辺から砂漠へと屍を運んでくるシーンと、黒装束の女性たちが砂漠で埋葬用の穴を手で掘り進めるシーンで構成される。最後に屍が運び込まれて、大地が激しく燃え上がる圧巻の映像と、ミニマル・ミュージック[4]で知られる作曲家フィリップ・グラスが書き下ろした崇高なサウンドで締めくくる。そんな作品にベビーカーに乗った息子が反応するとは思いもよらなかったのだが、この話はここで終わらなかった。家に帰ってしばらく自分の部屋にこの展覧会のチラシをうれしそうに張っていた息子だったが、美術館を訪れた際に予約していたカタログが後日、自宅に届いたときに事件は起こった。包みからカタログを取り出して、息子に「広島でいった展覧会のカタログが届いたよ」と話しかけたところ、「〇〇(自分の名前）の！」と言ってそのカタログを持ち去って、お気に入りの機関車キャラクターの絵本などが並ぶ自分の部屋の本棚にしまい込んでしまった。私は一ページもカタログを読む暇などなく、あっけにとられてしまった。それまで「子ども向け」の本やイベントやテレビ番組などはカラフルで楽しげなもの、という先入観にどっぷりはまって子育てしていた私にとって、お世辞にも「楽しい」とは言えない、かなり渋いシリン・ネシャットのカタログが息子にとっては、展覧会を観てしばらく時間がたっていても忘れがたいお気に入りの思い出の品になっていたことは、まさに灯台下暗しの、目からうろこの事件だった。そこから、大人が勝手に考えている「子ども向け」展示ではない展覧会の可能性を真面目に探求してみようとリサーチを始めることになった。

3 乳幼児の世界観

一九七〇年代ごろまでは、一八九〇年にアメリカの心理学者ウィリアム・ジェームズが「咲き誇るがやがやとした混乱[5]」と形容したように、多くの発達理論家が、乳幼児が知覚する世界は混沌としていると考えていた。生まれたばかりの赤ちゃんは目が見えない、痛みの感覚が鈍い、何もわからず何もできない、という無力な赤ちゃん像が一般的だった[6]。しかし、近年の脳科学をはじめとする諸分野の研究成果から、乳幼児はこれまで考えられていたよりもさまざまなことを認識し、感じていることがわかってきた。例えば、赤ちゃんは胎児のときから音を聞き、生まれたばかりの新生児でも目が見える。ただし視力は悪く、新生児は〇・〇一程度で、生後半年までに急速に発達し、その時点で〇・二程度[7]、四、五歳になってようやく大人並みに見えてくる。しかし、そのようなぼんやりとした視覚世界にいる生まれたばかりの新生児でも丸と三角の形を区別できるし[8]、人の顔も早い段階から認識し、特に母親の顔は生後数日でも注目することができる[9]。また、こうした乳児の視覚、聴覚、触覚などの個々の感覚は、関連することなくばらばらに独立して機能していると思われていたが、近年の研究で、乳児の個々の感覚は、生まれたときから調和してはたらき、統一された世界を知覚していることがわかっている[10]。さらに、赤ちゃんは、外からの刺激によって反射的に動いているだけではなく、生まれた直後からすでに「意識的に四肢を動かしている」ことも明らかになっている[11]。このように赤ちゃんは、高度の認識能力を備え、能動的に行動していることがわかってきた。

さて、ここで「赤ちゃんはアートをわかるのか？」というはじめの問いに戻ると、美術館や展覧会にきた赤ちゃんは、少なくともまったく何もわからないわけではなく、むしろ、普段とは違う環境に置かれて、かなりさまざまな刺激を受けている可能性が高いと言えるだろう。特に現代美術の場合、視覚だけでなく、聴覚や触覚、ときには嗅覚などの五感を使って感じる作品も多い。しかし、公園に出かけるのと美術館に出かけるのとでは、赤ちゃんにとって何か違いはあるのだろうか。

4　作品を観る行為と他者への共感

これまでのギモンでもみてきたが、あらためて美術館あるいは展覧会という場所を特徴づけているものは何か、と考えると、美術館は美術作品が展示してあり、それを鑑賞する場、という点が挙げられる。作品は、一般的な事物と異なり、多くの場合、作家やキュレーターが、その作品をほかの人に鑑賞してもらうことを前提として制作・展示したものであり、いわば人の意図が込められている。他者の意図を汲み取ること、あるいは作家やほかの鑑賞者の思いに共感することは、乳幼児にとって（そして大人にとっても）、美術を鑑賞する行為がほかの日常的な営みとは異なる特別な体験になる重要な要因になっていると思われる。

これまでに、二歳児でも意図的に作られたものは絵と認めるが、偶然できたものは認めない、という興味深い実験結果がいくつか報告されている。例えば、男性の姿形にみえる絵を見せて、一方のグループには、それが意図的に描かれたことを伝え、もう一方にはそれが偶然の産物だと伝える。つまり、一方には「ジョンがお絵描きの時間に、先生にあげようと絵の具で絵を描きました。それはこんな感じでした」と伝え、もう一方には、「ジョンのお父さんが壁にペンキを塗っていたときに、ジョンがうっかりペンキを何滴か床に落としてしまいました。それはこんな感じでした」と伝える。そして、その後、それぞれのグループに「これは何かな？」と質問すると、意図的に描かれた絵だと説明を受けたグループは「男の人」など描かれた対象を答える傾向が強く、偶然できたものと説明を受けたグループは、材料の「ペンキ」と答えることが多かった[12]。さらに年齢が低いゼロ歳児・一歳児だと、言葉によるコミュニケーションが難しく先のような実験はできないが、別の実験や観察から、少なくとも他者の意図を汲み取ったり他者の感情を理解したりすることは、かなり早い段階からできることが明らかになっている。

乳児は、生後一年間に自分と他者を区別し、またさらに他者や自分以外のモノとの関係性を徐々に培っていく。生後二カ月ごろには、大人がほほ笑みかけるとそれに応じて乳児がほほ笑む社会的微笑と呼ばれる現象が現れ、自分と他者を区別して知覚する人—人の二項関係が成立しはじめる。[13]また生後五、六カ月には事物に関心が向かうようになり、見せられた物をつかんだり振ったり口に入れたりするようになり、人—物の二項関係も成立する。このころから、他者が見ているものを目で追うことができる共同注意と呼ばれる現象もみられ始める。[14]さらに生後九カ月ごろには、自分が遊ぶオモチャを大人に見せてその反応をうかがう、など乳児—物—他者の三項関係が成立するようになる。[15]また乳児は、成長するにつれて、自分の情緒について経験するだけでなく、他者の情緒に対しても共感したり、理解したりするようになっていく。最も初期の他者との情緒の交流の一つとして、新生児に大人の「喜び」「悲しみ」「驚き」の表情を見せると、それぞれ表情を模倣する新生児模倣が知られている。[16]新生児模倣は、その後、成長すると観察されなくなってしまうが、生後二カ月には、先に述べた社会的微笑が観察されるようになる。さらに、生後七カ月ごろから、乳児は周りの状況を判断する際には母親などの信頼できる人の様子をうかがいながら自分の振る舞いに適用するようになる。[17]このような現象は社会的参照と呼ばれている。有名な実験に、生後十二カ月の赤ちゃんを視覚的断崖（見せかけの断崖）に乗せると、断崖の向こう側にいる母親が見せた表情によって行動が変わるというものがある。視覚的断崖とは、深さ約三十センチの溝の上にガラス板が渡してあるもので、見た目は断崖だが、ガラスの上を渡ることができるという装置だ。この断崖の向こう側には魅力的なおもちゃが置いてある。この実験で赤ちゃんは、母親が否定的な表情や不安そうな表情を示すとガラス面の上を渡ろうとはしないが、母親がほほ笑むなど肯定的な表情を見せると大半が渡ることがわかった[18]。また、共感に関するメカニズムは、一九九〇年代以降、脳のなかにミラーニューロンシステムと呼ばれるものがあることが明らかにされている。これは他者の経験を自己に鏡のように写し取るシステムである[19]。例えば、快または不快な刺激を受けた他者の表情を知覚すると、観測者自身が同様の快／不快の刺激を知覚したときのような神経活動が脳内で生じる[20]。ミラーニューロンシステムは未解明の部分も多いが、近年の実験で、六、七カ月の赤ちゃんも成人と同様に他者の行動を見るだけで、他者と同じ運動関連部位の脳活動がみられることがわかっている[21]。

乳幼児の美術鑑賞に関しては、美術教育の分野でも比較的最近になって扱われるようになった分野であり、科学的な研究の方法論が確立されているわけではない。そのため、あくまで推論にすぎないが、これまでみてきたような乳幼児の高い認識能力を考えると、（作品として認識しはじめるのは二歳ぐらいからだとしても）二項関係が成立しはじめるゼロ歳児からでも、大人の関わりなどがある程度あれば、それぞれの年齢や発達段階に応じて美術鑑賞を楽しむことはできそうである。公園や家などの日常的な場所と異なり、美術館は、まず何よりもほかの人が作った作品を「観る」ことに特化した場所である。乳幼児にとっては、新奇なモノがたくさんあること自体が興味の対象になるだろう。また大人が作品を観たときの反応や心の動き、あるいは大人が作品を観ているという行為そのものが、子どもにとっては、そのモノをどう判断するかの基準になっていることだろう。大人が楽しそうに観ていれば、その気持ちが伝わってくるし、逆に自分が面白いと思ったものに対して、大人がその思いを共有してくれることは子どもにとって喜びになるだろう。また、気になった作品に手を伸ばしたときに大人にとがめられることがあれば、美術館には触らずに大切に観なければならないものがあるなどの鑑賞のルールがあることも成長に応じて徐々に理解していくだろう。

5　子育て支援と美術館

赤ちゃんを連れて美術館にいくことは、赤ちゃん自身だけでなく、一緒にいく大人にとっても普段の生活では気づかない、さまざまな発見や驚きを得られる機会になる可能性を秘めている。考えてみれば当然のことだが、赤ちゃんが自らの意志で美術館にくることはない。赤ちゃんを美術館に連れてくるのは、たいてい母親をはじめとする周りの大人たちだ。子育て中の母親などの育児者が、普段の生活のなかで行ける場所は、スーパーマーケットや公園などに限られがちだ。だが、子育てをしていても、文化的な刺激を受けたいと思っている人はたくさんいるはずだ。小さな子どもがいても、映画やコンサートにだっていきたいし、美術館にもいきたいかもしれない。近年は、赤ちゃんを連れて鑑賞できる映画館も増えたし[22]、ゼロ歳児からの音楽会も開催されている[23]。では、美術館はどうだろうか。

日本では、核家族社会での子育て中の母親の孤立化について、一九八〇年代ごろからその問題が指摘されてきたが、九〇年代に入ってようやく行政も子育て支援施策を本格的に展開するようにな

写真6-1　大巻伸嗣『Echoes-INFINITY』（2010年）
東京都現代美術館「こどものにわ」展（2010年）の展示風景
撮影：森田兼次、写真提供：東京都現代美術館

った。[24] また、それまで子どもを預けてまで仕事をしたり趣味に興じたりすることは親のわがままである、と否定的にとられていたが、現代の子育て事情を踏まえて、「親子が心身ともにリフレッシュする時間を持つことの重要性から肯定的に受け止めることも必要」[25]だと、これまでの母性観の転換がみられるようになった。確かに最近の傾向として、子どもを預けて大人だけで何かを楽しむのではなく、子どもと一緒に楽しむ、また母親だけではなく父親もさまざまな催しに参加する姿が見受けられる。中谷奈津子は、子育て家庭のための「継続的・定常的な「縁側」のような地域の居場所づくりへの支援」の必要性を説いているが、その際に行政が主体で「預かる」「教える」子育て支援、遊びや遊び場の提供型支援をおこなうだけでなく、子育てをする母親自身が主体的に組織や活動に「参加」す

写真6-2　出田郷『reflections』（2009/2010年）
東京都現代美術館「こどものにわ」展（2010年）の展示風景
撮影：森田兼次、写真提供：東京都現代美術館

るよう促進していく必要性があると指摘している。[26] 美術館は、自らが主体的に美術を鑑賞することで、子ども自身だけでなく周りの大人もさまざまな感性を呼び覚ますことができる場になりうる。特に現代美術では、ここまでのギモンでもみてきたとおり、観客の主体的な参加を促す作品やプロジェクト型の作品が近年増加して、美術と社会の関係について広く議論されている。[27] 美術館を地域社会により開かれた場にしていくことで、美術館が地域の子育て家庭にとって、既存の提供型支援施設とは異なる第三の居場所になれる可能性は高い。

一昔前までは、美術館の子ども向けのプログラムと言えば、教育普及事業の一環として開催される小学生以上を対象にしたギャラリー・ツアーやワークショップが主流だった。だが近年、赤ちゃんが保護者と一緒に展示を観て回るギャラリー・ツアーなどを中心に、美術館での赤ちゃん向けプログラムが増加する傾向にある。ただし、それらへの参加は、運営上の制約などから人気があっても人数や回数が限定されることが多い。また、小さな子どもを連れて遠方に出かけるのは至難の業なので、ベビーカーだけで移動でき、いつでも気軽にいけるプログラムをもつ美術館が自分の住んでいる地域にないと参加しづらい。

こうした状況を踏まえて、二〇一〇年に開催された「こどものにわ」では、それまで美術館を訪れたことがない美術館近隣在住の子育て家庭が美術館にくるきっかけを作るところから始まった。まず、美術館がある東京都江東区の協力を得て、展示に先駆けて区内四カ所の子ども家庭支援センター、児童館、保育園などの子育て関連施設で、乳幼児とその保護者を対象にしたワークショップをおこなった。ワークショップは展覧会に参加する作家のKOSUGE1-16とともにおこない、その成果を展示の一部にした。また会期中には、近隣の商店街と美術館をつなぐものとして、乳幼児とその保護者を対象にしたワークショップを同じく参加作家の大巻伸嗣とおこなった。そして、美術館では、ワークショップやギャラリー・ツアーなどの一過性のプログラムではなく、小さな子どもを連れた家庭がもっといつでも気軽に美術館を訪れることができるように、約二カ月半の会期で開催する展覧会という形式のプログラムを実現した。

6　赤ちゃんと一緒に楽しめる展覧会

「こどものにわ」は、テーマパークのようなイメージの子ども向けの展覧会ではない。テーマパークには遊び方に答えがあらかじめ用意されているが、美術館の展覧会に正解はない。訪れた人々が、それぞれの楽しみ方を主体的に探して、それぞれの答えを見つけてもらうことが必要なので、ある意味、不親切だ。そのかわり、小さな子どもでも親しみやすいように、視覚的にインパクトがある作品や体全体で感じる作品、参加型の作品を中心に展示した。ただ、一口に子どもと言っても年齢によって大きく差があり、特に乳児などは、月齢によって発達段階も非常に大きく異なる。そこで、それぞれの発達段階に応じて、必要であれば、大人が子どもに声をかける、子どもと一緒に何かを体験するなど、さまざまな年齢層の人たちが関わりをもちながら鑑賞できるような作品を参加作家と話し合いながら具現化していった。

展示は大巻伸嗣の作品から始まる。大巻は、空間全体を生み出すような作品を通して、日常と非日常の境界を作り出す。展示室に入ると、絶滅危惧種の花を白の修正液と水晶の粉で球体に描いた『Echoes-Crystallization』（二〇一〇年）が神秘的な空間を構成し、鑑賞者を静かに異世界の入り口へと誘う。そして、白い薄布をくぐると、床一面に色とりどりの花模様『Echoes-INFINITY』（二〇一〇年）が広がる。美術館の絵は壁に展示してあるものが一般的だが、大巻の絵は、子どもの目線により近い床一面に広がる。絵を踏みつけるというタブーに接する機会は、大人でもそうそうないので新鮮な体験だ。床一面の花は、柔らかな白いフェルトの上に顔料で描いてあるので、時間の経過とともに踏まれて、その輪郭は次第にぼやけていく。また、部屋の奥に進んで振り返ると、柱の一面に床と同じようにフェルトに描かれた作品がアクリルのパネルで額装されて展示してあり、展覧会が始まる前の時間をとどめている。

出田郷は、視覚などの人間の知覚、身体と空間の関係などをテーマに作品を作っている。その手法はきわめてシンプルで、しばしば光を用いる。縞模様は、理由はわかっていないが、赤ちゃんが好むことで知られ、乳児の視覚実験などに用いられている。[28]『lines』(二〇〇四/一〇年)は四面の透過性スクリーンに映し出すアニメーションの作品で、白黒の縞模様が幅を変えたり、伸び縮みしたり、縦縞から横縞へ変化したり、回転したりする。四方を囲まれた空間のなかにいる人は、周りの空間の視覚的な変化によって、自分が浮遊するような錯覚にとらわれる。『reflections』(二〇〇九/一〇年)は、約八千枚のアクリル・ミラーが埋め込まれた六メートル四方のウレタンマットの床面を歩くと、光の反射が万華鏡のように壁や天井に広がる作品だ。自分の動きにしたがって影もキラキラとうごめく。赤ちゃんの明るさに対する感度の発達は、色の識別よりも早く、生後二カ月から五カ月の間にすでに大人と同等の高度なレベルをもつとわかっている。[29]

サキサトムは、日常生活でのなにげない一コマや異文化での所作、習慣の違いなどを映像やインスタレーションを通して表現してきた。「こどものにわ」では、異世代の差異に着目し、乳幼児の視覚世界を再現することを試みた。『ガーデン』(二〇一〇年)は、作家が住むロンドンの夏の庭で、半径三メートルというごく狭い世界を十六ミリフィルムで撮影した映像作品だ。庭に咲く花や焦点が合っていない事物の断片的な映像は、自分の周りの世界を少しずつ知り始める子どもの認識世界や、非常に限られた自分の周囲が世界のすべてだったころの時間を象徴するようだ。一方、『メーヤの部屋』（二〇一〇年）は、誰もいないはずの子ども部屋で無機質なビニールの青い筒が動くことで繰り広げられるファンタジーを映像化し、床に置いた二台のモニタで時間をずらして映し出す。最近の実験で、十カ月の赤ちゃんでもテレビ映像と実物の区別をしていることがわかってきた。[30]モニタのなかで、生き物とそうでないもの、現実世界と空想の世界、映像世界と実世界が交錯する。サキの映像世界は、子どもがリアルタイムで経験している子どもの時間と、その視覚世界や心象風景をある種懐かしく思い起こす大人の時間を詩的に重ねていく。

広場のような高さ十九メートルの広い吹き抜け空間で、KOSUGE1-16は、見知らぬ者同士の間でコミュニケーションが生まれる仕掛けを三つの作品で表現した。はじめに目に飛び込んでくる高さ約六メートルの『大きな木（小）』（二〇一〇年）は、木陰で休む要領で木の根元に集うと、カラフルな毛糸の毛虫が上下する。中央に設置された『AC-MOT』（二〇〇六／一〇年）は、通常二人で対戦する卓上用のサッカーボードゲームが、一人が一選手を操作するまでに拡大され、総勢十二人で遊べるようにした巨大なサッカーボードゲームだ。選手を操作する棒が重いので、小さな子どもが遊ぶには大人の助けが必要になる。三つ目の作品『サイクロドロームゲームDX』（二〇〇七／一〇年）は、身体能力が異なる大人と子どもが真剣勝負できるユニークな作品だ。大人用自転車一台と子ども用自転車二台、三輪車が一台設置されていて、それぞれが自転車や三輪車をこぐと、ペダルから

写真6-3　遠藤幹子『おうえんやま』（2010年）とKOSUGE1-16《AC-MOT》（2006/2010年）
東京都現代美術館「こどものにわ」展（2010年）の展示風景
撮影：森田兼次、写真提供：東京都現代美術館

シャフトとチェーンで動力が伝わって、小さなサイクリストの人形が周りのコースを猛スピードで駆け抜ける。

建築家の遠藤幹子は、KOSUGE1-16の作品の周りに、親子が一緒に楽しめる交流型の空間『おうえんやま』（二〇一〇年）を作り出した。壁沿いにおおやまが広がり、その前にこやまが二つそびえ、ところどころに巨人の足をイメージしたクッションが配されている。おおやまとこやまは黒で塗装され、チョークで自由に落書きができるようになっている。またこやまにはところどころに丸い穴が開いていて、その周りには巨人の身体が描かれ、穴から顔を出すと、あたかも自分が大きくなったように見える。巨人の足のクッションは、子どもにとっては遊具になり、大人にとっては一息つく場所になる。

7 「こどものにわ」から「みんなのにわ」へ

「こどものにわ」がオープンしてしばらくすると、特別支援学校から来館の問い合わせが多数入るようになった。ベビーカーに優しい展示は、車椅子利用者にも優しい。また赤ちゃんが楽しめる展示は、知的障害をもつ人も楽しめることがわかった。異世代や背景が異なる者同士が自由に交流しながら楽しめる展示は、普遍的なデザインであるユニバーサル・デザインの考え方を想起させる。ユニバーサル・デザインは、「年齢、性別、能力、環境にかかわらず、できるだけ多くの人々が使えるよう、最初から考慮して、まち、もの、情報、サービスなどをデザインするプロセスとその成果」[31]を指す。赤ちゃんから楽しめる展示を考え始めると、結局はほかの世代の人々、多様な背景をもつ人々が楽しめる展示について考えることにつながっていく。もちろん、デザインと違ってアートという嗜好性に左右される分野ですべての人に受け入れられる展覧会というのは不可能に近いのかもしれない。だが、一つの展覧会でも、さまざまな世代が楽しむことができ、かつ、その楽しみ方が異なる、という展覧会のあり方を模索することは、パブリックな場としての美術館の役割を問い直すことにつながる。ニコラ・ブリオーは、『関係性の美学』のなかで、開かれた展覧会のあり方が必ずしも凡庸になるとはかぎらないと述べ、「あるイメージを前にして感じる子どもらしい純真な驚きと、そのイメージが引き起こすさまざまなレベルの解釈の複雑さ」の間にある理想的なバランスを探ることの可能性を示唆している。[32] 作品に対峙してその美しさに感動したり、作品に込められたメッセージを読み取ったりすることは、美術にふれるうえで大切な経験である。そして同時に一緒に作品を観ている（あるいは、一緒に参加している）他者との関係を築くことを許す美術や展覧会の方法論は、小さな子どもや子ども連れの大人を優しく招き入れる。人々が集うアートの庭で、さまざまな人が関わりながら、単に鑑賞するだけでなく、互いに交流するきっかけが生まれれば、子育て支援の観点からも美術館という場がもつ可能性が広がるだろう。アートが日常とは異なる自由な空間と時間を生み出し、人々にこれまでとは異なるあり方での交流を促すのだ。

乳児は、近年、「人間の心の起源を科学的に研究する上で重要な研究対象とみなされるようになってきている」[33]。日本では、二〇〇一年に日本赤ちゃん学会が創設された。それまで脳科学や発達心理学などそれぞれの専門分野で扱われてきた乳幼児の心や体に関する研究を、医療や心理学だけでなく工学、社会学などさまざまな分野から多角的に考えていく「赤ちゃん学」は、徐々にその成果を積み上げている。[34] 美術に関しては、〇八年の小学校の図画工作の学習指導要領の改訂で、これまでの「表現」に加えて「鑑賞」にも重点が置かれるようになった。就学前の乳幼児に関しても、美術鑑賞が赤ちゃんに与える影響などが研究できれば、赤ちゃん学にとっても美術教育にとっても、新しい発見をもたらすことだろう。

「こどものにわ」を実施してから四年後の二〇一四年に「ヨコハマ・パラトリエンナーレ2014」[35]（略称：パラトリ）という障害者と現代アート作家による協働プロジェクトの美術部門のキュレーターを務める機会に恵まれた。それまで障害がある方と身近に接する機会がほとんどなかった私にとってはまったく未知の世界で、当然ながら新たなチャレンジの連続だった。なかでも最初のつまずきは、「協働／コラボレーション」というコンセプトだった。背景が異なる者同士で「みんなハッピーにコラボレーション」するなどできるはずはなく、表現と表現のガチ勝負、個性と個性のぶつかり合いで、予定調和とはほど遠い異なる価値観と世界観を共時的に提示するのが精いっぱいという企画だった。しかしだからこそ、それまでになかったユニークな表現が数多く生まれたことも確かだった。パラトリに参加したギリシャ人アーティストのミハイル・カリキスは、特定の人が「disabled（障害の訳語で、不能、能力が欠如している、の意）」なのではなく私たちはみんな「differently abled（異なる能力をもつ）」であると表現すべきではないか、と述べたが、実に的確な指摘だと思う。また、日用品から驚くほど小さくて精巧な作品を生み出すことを得意とする岩崎貴宏は、制作のリサーチのために織物の作業をおこなっている福祉作業所や特別支援学校を訪れた。その際に彼はそこで求められている丁寧に織り目がそろった織物には目もくれず、糸の太さや色の組み合わせがバラバラな大胆な織りや、はみ出した糸が未処理のままにしてある織りに興味をもった。織り目がそろった織物は、バッグやポーチなどほかのものに加工して販売しやすい。したがって、作業所ではきちんと織ってあるもののほうが推奨される。だが、福祉の世界では少数派である、織り手の個性やそのときどきの心の動きがそのまま反映されている自由な織りのほうが、岩崎の琴線に触れたのだった。施設や特別支援学校に日々通う障害者の多くは、社会への適応を最終目標としている。だが、さまざまなこだわりやはみ出した織り目こそ面白い、美しいと評価する現代アートの価値観はそこに一石を投じる。アートを通したパラトリの取り組みは、障害者を社会に適応さ

写真6-4　崎野真祐美×岩崎貴宏『Out of Disorder』（2014年）
撮影：麻野喬介、写真提供：ヨコハマ・パラトリエンナーレ2014（横浜ランデヴープロジェクト実行委員会）

せるのではなく、障害者が生きやすいように社会のほうを変えていくためのヒントを見いだすきっかけになったはずだ。

ここまで本ギモンでは、赤ちゃん向けの展示があるのか、ということをみてきたが、その答えは「ある」と「ない」の両方と言えるかもしれない。東京都現代美術館では、「こどものにわ」をきっかけとして、その後現在にいたるまで、こどもを対象にした企画展がシリーズ化され、各学芸員の関心と独自の視点を反映させながら、発展的に継承されているが、それは「ある」の何よりの証拠だろう。[36]一方で、乳幼児を対象にした展示が特別支援学校の生徒にも受け入れられた例からもわかるように、一つの展示が企画した本人も予期しないものとして新しい方向に広がっていくこともある。またそれが展覧会を作っていくうえでの醍醐味でもあったりする。パラトリでもアーティストと障害者の協働を通して、社会的包摂について、キュレーター、アーティスト、福祉施設職員、障害者自身やその保護者など、それぞれが思いもよらない学びと刺激を得ることになった。展覧会は、異質なものを受け入れる寛容さを知る場でもある。展覧会にいく、ということがもっと身近なこととして、あらゆる世代のあらゆる背景をもつ人々の生活に根づいていくとき、「こどものにわ」は「みんなのにわ」へとのびやかに解放されていくだろう。

注

（1）母子健康法では「赤ちゃん」を次のように定義しており、本書でもそれに準じ、必要に応じて各用語を使い分けている。新生児：出生後二十八日未満の乳児、乳児：一歳未満の子ども、幼児：一歳から小学校就学前までの子ども。

（2）「こどものにわ」東京都現代美術館、二〇一〇年七月二十四日—十月三日

（3）「第6回ヒロシマ賞受賞記念　シリン・ネシャット展」広島市現代美術館、二〇〇五年七月二十三日—十月十六日

（4）ミニマル・ミュージックは、音型の反復や持続などで構成される現代音楽の形式の一つ。一九六〇年代から七〇年代にかけてアメリカを中心に隆盛し、世界的な音楽文化にも影響を与えた。

（5）原典は William James, “one great blooming, buzzing confusion,” *The Principles of Psychology*, Macmillan, 1890.

スイスの発達心理学者のジャン・ピアジェも「赤ちゃんは無力な存在である」と唱えた。またオー

ストリアのジークムント・フロイトをはじめとする精神分析の理論家は、乳児は「混乱しているという	より、最初は周りの世界と関係していない」と考えていた（P・ロシャ『乳児の世界』板倉昭二／開一夫監訳、ミネルヴァ書房、二〇〇四年、三二ページ）。

（6）榊原洋一「赤ちゃん理解の急速な進歩と赤ちゃん学」、産経新聞「新・赤ちゃん学」取材班『赤ちゃん学を知っていますか？——ここまできた新常識』所収、新潮社、二〇〇三年、三四六—三五一ページ

（7）山口真美『赤ちゃんは世界をどう見ているのか』（平凡社新書）、平凡社、二〇〇六年、一七—一八ページ

（8）小西行郎『赤ちゃんと脳科学』（集英社新書）、集英社、二〇〇三年、三七ページ

（9）山口真美『赤ちゃんは顔をよむ——視覚と心の発達学』紀伊國屋書店、二〇〇三年

（10）前掲『乳児の世界』三四—三五ページ

（11）前掲『赤ちゃんと脳科学』一一〇ページ

（12）ポール・ブルーム『赤ちゃんはどこまで人間なのか——心の理解の起源』春日井晶子訳、ランダムハウス講談社、二〇〇六年、一〇九—一一三ページ

（13）岡本依子／菅野幸恵／塚田－城みちる『エピソードで学ぶ乳幼児の発達心理学——関係のなかでそだつ子どもたち』（新曜社、二〇〇四年）一二九—一三〇ページでは、二項関係の成立を生後三、四カ月ごろと紹介しているが、P・ロシャは、二カ月としている。三項関係の成立は、ロシャも同じく九カ月としている（前掲『乳児の世界』一九四—一九八ページ）。

（14）前掲『エピソードで学ぶ乳幼児の発達心理学』一四六—一四八ページ

（15）同書一二九—一三〇ページ

(16) 同書一二一―一二二ページ
(17) 前掲『赤ちゃんは顔をよむ』一〇五―一〇六ページ
(18) 同書一〇六―一〇七ページ、前掲『エピソードで学ぶ乳幼児の発達心理学』五〇―五一ページ
(19) 福島宏器「他人の損失は自分の損失？——共感の神経的基盤を探る」、開一夫／長谷川寿一編『ソーシャルブレインズ——自己と他者を認知する脳』所収、東京大学出版会、二〇〇九年、一九二―一九五ページ
(20) 同論文一九四ページ
(21) 嶋田総太郎「自己と他者を区別する脳のメカニズム」、同書所収、六六―七〇ページ、同『脳のなかの自己と他者——身体性・社会性の認知脳科学と哲学』（日本認知科学会編「越境する認知科学」第一巻）、共立出版、二〇一九年、一四六―一四九ページ
(22) TOHOシネマズは二〇〇三年から赤ちゃん連れで楽しめる「ママズクラブシアター」を展開している（［https://www.tohotheater.jp/theater/009/info/mamas_club_theater.html］［二〇二三年十一月二十二日アクセス］）。
(23) 代表的なものにソニー音楽財団の「Concert for KIDS——0才からのクラシック®」がある（［https://www.smf.or.jp/concert/kids/］［二〇二三年十一月二十二日アクセス］）。
(24) 中谷奈津子「地域子育て支援施策の変遷と課題——親のエンパワーメントの観点から」、国立社会保障・人口問題研究所編「社会保障研究」第四十二巻第二号、国立社会保障・人口問題研究所、二〇〇六年、一六八ページ（http://www.ipss.go.jp/syoushika/bunken/data/pdf/18095307.pdf）［二〇二三年十一月二十二日アクセス］
(25) 同論文一六八ページ

(26) 同論文一七〇ページ
(27) 日本での具体的な事例のドキュメントとして、例えば荻原康子/熊倉純子編『社会とアートのえんむすび1996−2000——つなぎ手たちの実践』(ドキュメント2000プロジェクト実行委員会、二〇〇一年)などを参照。
(28) 前掲『赤ちゃんは世界をどう見ているのか』一三〇ページ
(29) 同書一三三ページ
(30) 旦直子『乳児における映像メディアの認識の発達』KAKEN二〇〇四年度実績報告書、東京大学(https://kaken.nii.ac.jp/ja/report/KAKENHI-PROJECT-02J07003/02J070032004jisseki/)[二〇二三年十一月二十二日アクセス]
(31) 関根千佳『ユニバーサルデザインのちから——社会人のためのUD入門』(Next シリーズ)、生産性出版、二〇一〇年、一四〇ページ
(32) Nicolas Bourriaud, *Relational Aesthetics*, translated by Simon Pleasance & Fronza Woods, Les presses du réel, 2002, p. 58.
(33) 前掲『乳児の世界』一ページ
(34)「日本赤ちゃん学会」(https://www2.jsbs.gr.jp/)[二〇二三年十一月二十二日アクセス]
(35)「ヨコハマ・パラトリエンナーレ」(https://www.paratriennale.net)[二〇二三年十一月二十二日アクセス]
(36)「こどものにわ」のあとにこどものための展覧会シリーズとして企画された同館の展覧会に「オバケとパンツとお星さま——こどもが、こどもで、いられる場所」(二〇一三年)、「ワンダフルワールド——こどものワクワク、いっしょにたのしもう みる・はなす、そして発見!の美術展」(二〇一四

年）、「おとなもこどもも考える　ここはだれの場所？」（二〇一五年）、「あそびのじかん」（二〇一九年）、「おさなごころを、きみに」（二〇二〇年）、「あ、共感とかじゃなくて。」（二〇二三年）がある。これらはこどもを発想の軸としながらも、こどもに限らず多様な観客に向けて開かれたものになっている。

ギモン7　どうして美術館は作品を集めるの?

さて、本書では作品と出会う場所としての展覧会や美術館の枠組みを概観したあと、作品、作家、キュレーター、観客などの個々の要素を掘り下げながら現代美術のキュレーター、キュレーションにまつわる数々のギモンにふれてきた。ここでキュレーターの仕事を取り巻くギモンについてもう一歩考えを深めるために、これまでとはまた視点を変えて、美術館の作品の収集と保存についてみていこう。

1　コレクションをもつ美術館

美術館で企画展や特別展などの展示のほかに、常設展やコレクション展、収蔵品展などの名称でその美術館が収蔵している作品が展示されているのを目にしたことはあるだろうか。もしくは、美術館の中庭や外庭などにいつも同じ彫刻作品が置かれていると気づいたこともあるかもしれない。あるいは、逆にその美術館で必ず見ることができる著名な作品を目当てにいくこともあるだろう。ルーヴル美術館にいけば、レオナルド・ダ・ヴィンチの『モナ・リザ』を必ず見ることができる。東京国立近代美術館にいけば、横山大観、梅原龍三郎、萬鉄五郎、岸田劉生、藤田嗣治など美術の教科書で一度は見たことがあるような日本の近代美術の代表作を鑑賞できるだろう。また金沢21世紀美術館にいけば、レアンドロ・エルリッヒの、上から水面下にいる人々が見える、内と外をつなぐような不思議な作品『スイミング・プール』がいつでも出迎えてくれる。

ギモン1でみてきたように、美術館や博物館の成り立ちから考えても、貴重な美術品のコレクション（収蔵品）を一般の人々に広く展覧するのは美術館の重要な役割の一つである。だが、そもそも美術館はなぜ作品を収集するのだろうか。現代の美術館のなかには、常設展示室などを企画展示室と別に設けてコレクションをもつ館と、それらをもたない館があるが、コレクションはなぜ必要なのだろうか。また、館所蔵のコレクションの展覧会（常設展）とコレクションを用いない企画展には、何か違いがあるのだろうか。

本ギモンでは、コレクションをもつ美術館に着目して、作品の収集と常設展示が果たす役割を考えてみたい。

2 作品の保管・保存と活用

ここであなたがアーティストだと仮定してみよう。あなたがある展覧会に向けて作った作品は、展覧会が終わったら、通常、どこに保管するだろうか。画廊などでの展覧会では、作品がめでたく売れてコレクターの手に渡ったりすることもあるだろうし、美術館での展覧会をきっかけにその館が収蔵してくれることもある。だが、必ずしも全部の作品が手元から離れるわけではなく、スタジオの隅に立てかけられたり、十分なスペースが確保できずに額から外されてキャンバスだけの状態で重ねられたり、あるいは彫刻作品の場合は、街なかを少し離れた賃料が比較的安価な倉庫に置かれたりすることも多いだろう。残念ながらそうした場所は、必ずしも二十四時間、温湿度管理されているとはかぎらないので、保管状態が悪いとカビが発生したり虫に食われたりすることも少なくない。その点、収蔵庫をもつ美術館であれば温湿度管理が徹底された環境で作品を保管できるため、こうした作品のダメージは最小限に食い止めることができる。また個人の美術コレクターのなかには、こうした温湿度管理ができる倉庫を所有していたり美術輸送会社の美術倉庫を一部借りたりして作品のマネジメントをしている人もいるが、そうしたコレクターはごく一握りである。また個人のコレクションの場合、保管場所が足りなくなったり、本人が亡くなったりすると、こうした個人コレクションを美術館にまるごと寄贈することもよくある。同様に作家本人が亡くなった場合にも、遺族が美術館に寄託[1]あるいは寄贈するケースも多い。このように美術作品をコンディションが良好なままで長期間保管することは個人レベルでは難しいため、美術館が最終的な作品の受け皿になることはよくある。

博物館法が定める博物館の定義は、「歴史、芸術、民俗、産業、自然科学等に関する資料を収集し、保管（育成を含む）し、展示して教育的配慮の下に一般公衆の利用に供し、その教養、調査研究、レクリエーション等に資するために必要な事業を行い、あわせてこれらの資料に関する調査研究をすることを目的とする機関[2]」になっている。美術館は博物館の一つであり、美術館[3]が「芸術に関する資料」である美術作品を収集し、保管し、展示することや、それらを調査・研究することは、その活動の根幹をなすものだと言えるだろう。したがって、美術館は外部からの寄託や寄贈を受けるだけでなく、自らも積極的に購入したり、寄託・寄贈へのはたらきかけなどをして収集活動をおこなっている。展覧会は作品がなければ始まらない。コレクションをもつ美術館は、こうして収集した作品をきちんとした環境で保管し、それらの調査・研究を深め、さらに展示して活用する、という活動を総合的におこなっている。もちろん、コレクションをもたない美術館であっても、企画展をおこなう際には一時的に作品を他館や個人のコレクターから借用したり、作家に現地制作を依頼したりすることで、作品をその期間だけ会場に集めてくる。ただし当然ながら、企画展の場合は、展覧会終了後に作品はそれぞれの場所に返却されたり解体されたりして美術館には残らない。一方で、コレクションをもつ美術館は、特に公立館の場合、一度収集した作品は基本的には何十年でも何百年でも保管し活用していくことを考えてコレクションを形成していく。こうしたコレクションをもつ美術館では、何を基準に作品を収蔵していくのだろうか。

3　何を収蔵するのか

コレクションをもつ美術館では収集方針を定めていて、館のウェブサイトなどでも見ることができる。各館の収集方針をみると、それぞれの館の特徴がよくわかる。例えば、現代美術を扱う館では、第二次世界大戦以降（一九四五年以降）の美術という方針を挙げていたり、あるいは地方にある美術館の場合は、その館が所在する地域の歴史的な文脈などを反映したり、地元の作家の作品を収集したりするなどして、地域の特性を生かした方針を挙げているところも多い。

国内初の公立の現代美術館として一九八九年に開館した広島市現代美術館では、次の三つの収集方針に沿って作品収集と保存をおこなっている。

1、主として第二次世界大戦以降の現代美術の流れを示すのに重要な作品
2、ヒロシマと現代美術の関連を示す作品
3、将来性ある若手作家の優れた作品(4)

同館では、一九八九年から三年に一度、ヒロシマ賞という「美術の分野で人類の平和に貢献した

作家の業績を顕彰し、世界の恒久平和を希求する「ヒロシマの心」を現代美術を通して広く世界へとアピールすることを目的とした」賞を創設している。これまで三宅一生、ロバート・ラウシェンバーグ、クシュトフ・ウディチコ、ダニエル・リベスキンド、シリン・ネシャット、蔡國強、オノ・ヨーコ、アルフレッド・ジャーなど十一人の国内外のアーティストがこの賞を受賞している。ヒロシマ賞では、同館での授賞式のほかに受賞記念展を実施しており、このヒロシマ賞受賞作家の作品も同館のコレクション形成に大きく寄与している。このように美術館が作品を収集する際には、その館で実施された企画展などを契機として購入や寄贈などに結び付くケースも多い。

また、伝統工芸で知られる金沢市に二〇〇四年に開館した金沢21世紀美術館では、以下の三つの柱を収集方針として挙げている。

1、一九八〇年以降に制作された新しい価値観を提案する作品
2、1の価値観に大きな影響を与えた一九〇〇年以降の歴史的参照点となる作品
3、金沢ゆかりの作家による新たな創造性に富む作品(5)

このうち、三番目の金沢ゆかりの作家の作品(6)は、主に次の二つの観点から工芸作品を中心に収集されている。一つ目は、金沢出身、あるいは金沢在住経験がある作家、ならびに金沢美術工芸大学や金沢卯辰山工芸工房出身者の作品である。二つ目は、伝統工芸の保護と育成に力を入れている金沢市が主催する国際工芸コンペの入選作や、新たな創造性に富む工芸作品である。

また同館では、美術館の建築の設計段階から、コミッションワーク（制作委託）として、設置場所を想定して美術館のために新たに制作されることがあらかじめ計画に組み込まれた六つの作品が恒久展示されていることが特徴的である。本ギモンの冒頭に紹介したレアンドロ・エルリッヒの『スイミング・プール』はその一つである。このほか展示室の天井を四角にくり抜いて空の移り変わりを眺めるジェームズ・タレルの『ブルー・プラネット・スカイ』（二〇〇四年）や、アニッシュ・カプーアの覗き込むと吸い込まれそうな巨大な穴に見える『世界の起源』（二〇〇四年）など、建物と一体となった作品が設置されている。

このように各地の美術館では、それぞれが独自の収集方針に基づき、その美術館ならではのコレクションを形成しているケースが多い。もっとも、近年は収集予算が大幅に削減されたり凍結されたりした館も少なくないのが現実だ。だが、そうした館も、展覧会予算で制作した作品を寄贈してもらったり、長年の丹念なリサーチを重ねて作家やコレクター、またその遺族などと信頼関係を築いたうえで寄贈や寄託に結び付けたりして、コレクションを充実させている館も多い。

反対に、ある程度の収集予算が確保されているにもかかわらず、現在所蔵しているコレクションを保管しておく収蔵庫のスペースが手狭になり、倉庫を別途確保するのに苦労している館が多いのも事実だ。収蔵庫不足は日本だけでなく世界的な問題になっていて、オランダ、ロッテルダムのデポ・ボイマンス・ファン・ベーニンゲンが「見せる収蔵庫」として収蔵庫を観客に公開することを試みたり、(7) 複数館でコレクションをシェアする方法が議論されるなど、近年新たなアイデアが活発に生み出されている。(8) 特に現代美術の作品は、近代以前の作品と違って作品数は増え続けていく一方なので終わりがない。

日本の美術館のコレクションは、基本的に国公立の場合は、大きく言えば市民の税金から購入することになるので、一度収蔵すると国や都、市などの財産になり、売却などして手放すことはない。したがって、収集方針に沿って慎重に収集計画を立て、予算をにらみながら収集していく必要がある。また収蔵した作品は温湿度管理が行き届いた収蔵庫で保管するのはもちろんのこと、定期的に点検などをして必要に応じて修復などをおこなわなければならない。近年は保存修復を専門とする学芸員を置いている館も増えたが、そうしたスペシャリストがいない場合は、外部の保存修復家を定期的に呼んで点検・修復をおこなっている。また、海外の展覧会などに長期で貸し出す場合は、事前にコンディションに問題がないかをチェックし、なんらかのダメージが見つかった場合は作品に負担がかからない輸送方法を考えたり修復などの処置を施したりすることもある。このように経済的・物理的な制約を受けながらも、各館が掲げた収集方針に沿ってさまざまな検討やリサーチを重ねながら作品が収集・保管され、美術館のコレクションを形作っている。

4　美術史の編纂

ギモン1でも少しみてきたように、ＭｏＭＡでは早くから写真、映画、デザイン、建築などを展覧会で扱ってきただけでなく、それぞれの分野に独立した部門を設けてキュレーターを配し、これらの新しいジャンルの作品・資料も絵画や彫刻と同様にコレクションに加えてきた。いまでこそ写真や映像、建築、ファッションや家具などのデザインを美術館の展示で目にすることは当たり前のようになっている。だが、美術館の枠組みで何を展示するか、またコレクションに何を加えるかということは、すなわちこれらの多様なジャンルの作品を美術史のなかにどう位置づけるかという問題と直結している。例えば建築などの場合、一口に「建築をコレクションする」と言っても、絵画や彫刻と異なり、建物そのものをコレクションすることは難しいので、図面や模型、ドローイング、写真、映像など美術館で保管・展示できる形態で収集し、かつ、その建築家、あるいは建築物の特徴をどのように捉えて後世に伝えていくかを考えていく必要がある。また建築物そのものは、築年数が長いものは年月とともに老朽化が進んで取り壊しになったり、建築家本人が他界して建築事務所が解散して資料が散逸したりするケースもあるため、最終的にはこうした美術館などに収蔵された図面や模型などの資料が、そのオリジナルの建築物などを知る重要な手がかりになることもある。

東京都写真美術館は、日本で初めて写真の専門的総合美術館として一九九五年に開館した。名前からは写真だけを扱っているように思われがちだが、同館では写真だけではなく広く映像表現や映像文化も扱うことを特徴としていて、写真・映像作品を中心にしたコレクションを擁し、企画展もおこなっている。また同館は二〇〇九年から毎年、恵比寿映像祭(9)というフェスティバルを実施している。これは美術館全館を使うほか、周辺施設とも連携しておこなうフェスティバルで展示、上映、ライブ・イベント、講演、トークセッションなどを複合的におこないながら、映像表現をあらゆる角度から取り上げ、広く共有する機会になっている。このように同映像祭は、写真だけではなく、映像作品やメディアアート作品、あるいは同館コレクションの一部である写真機材や初期の映像装置（レプリカや模型も含む）など、各年のテーマに沿って幅広い写真・映像作品を紹介してその定義を常に問い直し、拡張・成長していく場になっている。

東京都美術館は、その前身の東京府美術館の時代から本格的な収集はおこなわず、主に貸会場として美術団体の展覧会を長らく実施してきたが、老朽化に伴って館を建て直し、一九七五年に再出発した。その際に学芸員が入り、本格的にコレクションを形成して、戦後の美術史を積極的に体系づける方向に大きく舵を切った。七六年の「戦後の前衛展」を皮切りに、八〇年代には「現代美術の動向」というシリーズで「一九五〇年代――その暗黒と光芒」（一九八一年）、「一九六〇年代――多様化への出発」（一九八三年）、「一九七〇年以降の美術――その国際性と独自性」（一九八四年）など、戦後の日本の美術史を十年ごとにまとめながら振り返る企画展を次々と打ち出していった。そして九五年に東京都現代美術館が開館する際には、こうした展覧会を通して収集してきた東京都美術館のコレクションを東京都現代美術館に移管していくことになった。

韓国、中国、台湾などアジアと古くから交流が深い福岡市にある福岡市美術館は、開館年の一九七九年からアジア美術を紹介する「アジア美術展」を開催し、以後、約五年ごとに同展を実施すると同時にアジアの近・現代美術をコレクションしてきた。そして九九年には、そのコレクションをもとに福岡アジア美術館が開館した。そして「アジア美術展」は「福岡アジア美術トリエンナーレ」として継承された。また福岡アジア美術館は、アジアの作家や研究者を数多く招聘して、滞在制作やアジア美術研究に関する講演会・展覧会を開催するなど、交流事業も息長くおこなっている。

福岡市美術館と福岡アジア美術館のこのような取り組みは、アジアの美術をどのように美術史全体に位置づけていくか、日本にアジアの美術をどのように紹介していくかという重要な役割を担っている。

ここまでみてきたとおり、美術館が何をどのようにコレクションしていくかによって、その館の性格が形づくられ、美術史でのその作品の位置づけが定められていく。なかでも現代美術の場合は、作家が展覧会に向けて新たに制作した作品を収集することができる、というそれ以前の時代の美術作品とは大きく異なる一面がある。もちろん近代以前の美術でも、忘れられていた作家を調査・研究して発掘し新たな光を当てる、もしくは長年の研究に基づいて従来の解釈とはまったく異なる内容で作家や作品を紹介するという作業はある。だが、現代美術の場合は、その表現手段や領域横断性も多様化の一途をたどっていて、そうした評価が定まっていない作家や作品の評価をすることに常に直面することになる。美術館のコレクションにある作品を加える際には、非常に慎重な判断が求められる。それはコレクションするという行為自体が、作品や作家の価値、そして美術館の存在意義さえも問い直すような試金石になるからにほかならない。コレクションするということは、美術史全体をどう編纂していくのか、そして後世にどのようにそれらのコレクションを残していくのかという大きな問いに、美術館が日々、向き合っていることを意味するのだ。

5　コレクションの展示について

各館で収集したコレクションは、収蔵庫にずっと眠ったままにしておくのではなく、調査・研究したり、実際に展示したりして活用されていく。たいていの館は常設展示室に収まりきらない点数の作品を数多く所蔵しているので、すべてのコレクションを一度に見せることはできない。また長期展示をしたあとは、しばらく作品を休ませることでメンテナンスなどをおこない、より長期的に保存・活用することが可能となる。

コレクションをもっている館では、館の学芸員が常設展示室でコレクションを活用した展覧会を企画したり、また他館の展覧会に貸し出しをおこなったりしている。近年は、常設展示でもコレクションを活用して、企画展と同様に企画性が高い展示が多数おこなわれている。だが、一昔前は、常設展示室と言えば年代順・時代順に時系列でコレクションを見せることがごく一般的だった。その大きな変革の契機になったのは、二〇〇〇年に開館したロンドンのテート・モダンの常設展示だった。

旧火力発電所の建物をリノベーションして作られた七階建てのテート・モダンは、一つのフロアを有料の企画展示室、二つのフロアを無料の常設展示室としてスタートした(10)。その際に、常設展示室ではそれまで一般的だった年代順の展示ではなく、十七世紀のフランス・アカデミーが確立した風景、裸体、静物、歴史という主題のジャンルに想を得たテーマ別の展示とした。開館時には、「風景、事物、環境」「静物、対象、実物」「ヌード、行為、身体」「歴史、記憶、社会」という四つのセクションに分けてコレクションが紹介された。このような展示方法は観客の混乱を招くなどの批判を浴びた。なかでも、「風景、事物、環境」のセクションに展示されたクロード・モネの『睡蓮』(一九一六年以降)の絵の前にランド・アートで知られるリチャード・ロングが石を円状に床に並べた作品『Red Slate Circle』[11](一九八八年)を並置し、さらに同じ展示室内にロングがテート・モダン開館にあわせて泥で描いた壁画『Waterfall Line』[12](二〇〇〇年)も展示され、その斬新なアプローチは物議を醸すことになった。テート・モダンは、「風景」という主題を現代の環境問題や土地の歴史などと結び付けたり、「ヌード」というテーマを人体への関心やアクション・ペインティングとつなげて見せたりするなど、それぞれの主題を拡張しながら展示してみせた。時系列・年代別ではなく、近代と現代を柔軟に交錯させながら美術史の多様な解釈を可能にしたテート・モダンの手法は、コレクションの新しい見せ方の一つの規範になった。

6 コロナ禍の常設展示

本書を執筆していた二〇二〇年からの約三年間、コロナ禍で、特に海外からの物流や人の移動が滞る事態になり、国内外の作品をほかから借用して展覧会を実施することが難しくなった。緊急事態宣言などの影響で、美術館自体が休館になる期間も長く続いた。企画展が中止や延期を余儀なくされるなかで、コレクションをもっている美術館はそのような状況を逆手にとって、創意工夫を凝らしてコレクションを活用した展覧会を企画してきた。例えば東京都現代美術館では、二一年の三月から六月にかけてオランダ生まれでベルギーを拠点に活動しているマーク・マンダースの個展「マーク・マンダースの不在」を企画展で実施したが、緊急事態宣言が発令されてその会期の大半を休館せざるをえない窮地に立たされた。だが、開催期間の短縮を受けて、作家や所蔵者などの協力を得て、作品返却までの間、同年七月から十月にかけて同館の常設展示室の「MOTコレクション」で、三階部分を特別展示として、マーク・マンダースの企画展の出品作品の一部（同館のコレクションも含む）を用いながらも、企画展とは異なる展示構成で展覧会「マーク・マンダース 保管と展示」を実施した。会期中には、美術館近くのホームセンターの店内の床にマンダースの『狐／鼠／ベルト』（一九九二―九三年）が同年十一月一日の数時間だけ設置されるという企画展では実現できなかった試みも実行された。また常設展示室の一階では、「Journals 日々、記す」と題して、人々の日常を一変させたコロナ禍や震災などの災害、オリンピックなどを背景に制作された作品と、日々の日常性から生まれた作品をあわせて展示した。

また、常設展示ではないが、コロナ禍の二〇二〇年から二二年にかけて開催された国内美術館三館のコレクションを活用したユニークな事例として企画展「トライアローグ　横浜美術館・愛知県美術館・富山県美術館20世紀西洋美術コレクション」[13]を紹介したい。同展は、この三館が共通して収集の柱の一つとしている二十世紀の西洋美術のコレクションを集めて、一九〇〇年代から八〇年代までの西洋美術史の流れを俯瞰する、というもので、三館共同で企画された。ピカソ、ジョアン・ミロ、パウル・クレー、サルバドール・ダリ、マグリット、ポロック、ウォーホル、フランシス・ベーコン、ゲルハルト・リヒターなど約六十作家の絵画や彫刻作品約百二十点が、三十年区切りの三章立てで紹介された。また三館が共通して所蔵する作家に焦点を当てた「Artist in Focus」というコーナーを設け、それぞれの館のコレクションを比較展示するという試みもなされた。会場の最後には、三館がどの時期に何を収集したかが一目でわかるようにマッピングされたグラフ「出品作にみる三館のコレクションの歴史と傾向」が掲示された。このグラフでは、出品作の制作年を縦軸に、収蔵した年度を横軸にとり、その歩みと各館で重点を置いている時代の違いなどがわかりやすくたどれるようになっていた。またいずれの館でも、開館年前後の収蔵点数が多く、二〇〇〇年代以降は、ほとんど収集がされていないという実態も可視化された。「トライアローグ」展は、たまたまコロナ禍の前に企画されたものだったが、海外からの作品借用が困難な時期に、国内の公立館がもつコレクションの底力を見せる充実した展覧会になった。また日本のコレクションを擁する公立美術館の課題を浮き彫りにしながらも、同時に複数館が連携することで、その強みやコレクション活用の新たな可能性も提示することになった。

そのほかコレクションをもつ美術館では、企画展が実施できない間、館のコレクションを学芸員が解説する動画が多くの美術館で準備され、積極的に発信された。一九三〇年に岡山県倉敷市に設立された日本最初の西洋美術中心の私立美術館である大原美術館は、コレクションを鑑賞できるVR展示室と作品解説動画を公開した。こうしたオンライン上の試みの多くは、いまも各美術館のウェブサイトで視聴することができ、新しいアーカイブの形式の一つになっていて、今後もより充実していくことが期待される。

7　多様化する現代美術作品の収集

ここまでは、絵画や彫刻など形が比較的はっきりしている作品を念頭に、その収集と保存、活用についてみてきた。しかし現代美術の場合、その表現手段や使用する媒体は多岐にわたっていて、作家のインストラクション（指示書）に基づいた行為などを作品化するコンセプチュアル・アートなど、厳密な意味でモノの形態をとらない作品も数多くある。例えば、東京都現代美術館の外庭にあるオノ・ヨーコの『東京のウィッシュ・ツリー（願かけの木）』（一九九六／二〇〇四年―）は同館のコレクションだが、普段は紅葉の木が一本生えているだけで、そうと知らない人にとっては作品だと気づかないことがほとんどだ。年に一回、ジョン・レノンの命日にあたる十二月九日になると白い願い札（願いごとを書く短冊）が用意され、来館した人がそれぞれの願い札を紅葉の木に結び付けていくという作品である。この願い札はオノ・ヨーコのもとに送られ、アイスランドのレイキャビクにあるジョン・レノンに捧げた作品『イマジン・ピース・タワー』（二〇〇七年）に納められる。つまりこのコレクションは、毎年十二月九日に人々が願いごとを書いて参加し、それを送り届けるところまでが作品になっている。

また、東京国立近代美術館のコレクションである冨井大裕の『roll（27 paper foldings）』（二〇〇九年）は、色とりどりの折り紙を一枚ずつくるっと丸めて両端をホチキスで留めてつなげた彫刻作品シリーズだが、その素材表記には「折り紙、ホチキス、指示書」とある。これは、市販の二十七色セットの折り紙を上から順に一枚ずつ使ってロール状にしていき、四本のロールを真四角状に組んだものを立体的に組み合わせたものであり、作品ごとに折り紙二十七枚の組み合わせ方が異なる。折り紙の組み合わせ方は全部で十五通りあるが、このうち五通り分である五点が同館の所蔵である。折り紙に関する細やかな指定や組み合わせ方などは作家からの指示書に記されていて、展示するたびに新たに作ることもできる。つまり、折り紙は代替可能であり、指示書そのものがコレクションの重要な一部を構成しているのだ。また基本的には、作家以外の人がその指示書に沿って作ることもでき、再制作に対して回数も制限されていないので、誰がどのタイミングで作り直すのかなど、所蔵者（この場合は美術館）にその判断を委ねられているユニークなコレクションである。[14]

さらには、近年はギモン2でみてきたようなパフォーマンス作品なども収蔵の対象になっていて、そうした作品の収集・展示に対してさまざまな試みがなされてきている。次のギモンでは、映像作品やメディアアート作品など、機材や記録媒体などの変遷によって保管や再展示に大きな影響を受ける作品や、パフォーマンス作品などの形が定まらない作品の収集や展示、再現展示などを詳しくみていきたい。

注

（1）ちなみに寄託とは、ある一定期間（通常一年ないし二年で、延長もある）作品を美術館に預けることを指す。寄託期間を終えて、美術館と所蔵者との信頼関係が築かれてから寄贈になることも多い。寄託期間中でも、展覧会で展示したり他館への貸し出しを認めていることが大半である。

（2）「博物館法」第二条、文部科学省「博物館法における博物館法の定義について」（https://www.mext.go.jp/b_menu/shingi/chousa/shougai/014/shiryo/07012608/001.htm）［二〇二三年十一月二十二日アクセス］

（3）厳密には、国立館（独立行政法人）は、博物館法が定める博物館からは除かれているので、博物館法上は、東京国立近代美術館、国立西洋美術館、国立新美術館、京都国立近代美術館、国立国際美術館の五館は美術館という名称を用いているものの博物館ではなく「博物館相当施設」である。この制度上の歪みは、現在も是正されていない。これは現行の博物館の登録の所管が教育委員会であり、国立館の設置主体が独立行政法人であることに起因しているが、一九五二年施行の博物館法の改正は、七十年近くたったいまなお議論の途上である。

（4）広島市現代美術館ウェブサイト（https://www.hiroshima-moca.jp/moca/about）［二〇二三年十一月二十二日アクセス］

（5）金沢21世紀美術館ウェブサイト（https://www.kanazawa21.jp/data_list.php?g=97）［二〇二三年十一月二十二日アクセス］

（6）金沢ゆかりの作品とコミッションワークは、金沢21世紀美術館編『金沢21世紀美術館収蔵作品図録』（金沢21世紀美術館、二〇〇四年、Ⅴページ）を参照。

（7）「見せる収蔵庫」はウェブサイトを参照。太下義之「短期集中連載：ミュージアムの終活（または再生）（2）収蔵庫の臨界点（クリティカル・ポイント）」「美術手帖」二〇二一年五月二十六日（https://bijutsutecho.com/magazine/series/s42/24093）［二〇二三年十一月二十二日アクセス］

（8）例えば森美術館では二〇一九年に国際シンポジウム「美術館の『コレクション』を考える」を開催し、レポート動画が公開されている。「国際シンポジウム「美術館の『コレクション』を考える」のレポート動画を公開中！」「森美術館」二〇二〇年三月九日（https://www.mori.art.museum/jp/news/2020/03/3958/）［二〇二三年十一月二十二日アクセス］

（9）恵比寿映像祭についてはウェブサイトを参照。「恵比寿映像祭とは」（https://www.yebizo.com/jp/information）［二〇二三年十一月二十二日アクセス］

（10）七階建ての建物は、開館当初は一階から七階と表記され、二〇一二年の拡張時に〇階から六階に改められた。開館当初の企画展示室は四階、常設展示室は三階と五階だった。また一六年には、通称スイッチ・ハウス（Switch House）と呼ばれる十階建ての新館が併設され、そこでも常設展示や企画展示、教育普及プログラムをおこなっている。

（11）TATE, "Richard Long CBE Red Slate Circle" (https://www.tate.org.uk/art/artworks/long-red-slate-circle-t11884)［二〇二三年十一月二十二日アクセス］

（12）TATE, "Richard Long CBE Waterfall Line" (https://www.tate.org.uk/art/artworks/long-waterfall-line-t11970)［二〇二三年十一月二十二日アクセス］

（13）各館の会期は以下のとおり。横浜美術館：二〇二〇年十一月十四日―二一年二月二十八日。愛知県美術館：二〇二一年四月二十三日―六月二十七日。富山県美術館：二〇二一年十一月二十日―二二年一月十六日。

(14) 冨井大裕の作品についての詳細は、東京国立近代美術館のMOMATコレクション（二〇二一年十月五日―二二年二月十三日）の出品作品リスト、展示室内の作品解説テキスト、ならびに同館研究員の三輪健仁氏へのメールインタビュー（二〇二一年十月二十七日）に基づく。

ギモン8　何を残すの？

1　作品のオリジナルを保存・展示するとは？

ギモン7では、主に作品のコレクションを擁する美術館について、その目的や特徴などをいくつかの事例を踏まえながらみてきた。作品の展示がなければ、展覧会活動や美術館活動は成り立たないことも、これまでのギモンでみてきたとおりだ。このギモン8では、ギモン7の最後に少しふれた、形が残らない作品、残りにくい作品の保存と展示について、さまざまな視点からもう少し掘り下げて考えてみたい。

そもそも、美術館でコレクションされる作品は、絵画であれ彫刻であれ、良好な保管環境を用意しながら、定期的に点検し、何か不具合があれば修復などの処置をおこなうのが定石だ。美術館にある作品は、「できるかぎりオリジナルの状態で残すもの」というのが大前提にある。そうすることで、一度展示した作品も、再度展示したり、調査研究のために活用したり、別の美術館などの展覧会のために貸し出したりできるようになる。

　ここで作品展示と保存のあり方を考えるうえで、札幌芸術の森野外美術館の常設作品の一つであ

写真8-1　砂澤ビッキ『四つの風』（1986年）、アカエゾマツ
札幌芸術の森野外美術館
photo: 吉崎元章（2022年7月撮影）

る、砂澤ビッキの『四つの風』（一九八六年）を紹介したい。砂澤は北海道出身の戦後日本の彫刻界を代表する作家の一人であり、自然と交感しながら木と向き合い、ダイナミックな木彫作品を数多く制作したことで知られている。『四つの風』は、屋外にそびえ立つ高さ五・四メートルの巨大な四本の柱状の木彫で構成されているが、一九八六年に設置されてから、長い年月をかけて一本ずつ倒壊していき、二〇二二年には最後の一本を残すだけになっている。だが、これは美術館がメンテナンスを怠っていたからではなく、作家本人の遺志に沿って、あえて手を加えることなく、経年による変化も含めてそのままの形で残しているものである。砂澤は、『四つの風』について次のように述べている。

「生きているものが衰退し、崩壊してゆくのは至極自然である。それをさらに再構成してゆく。自然は、ここに立った作品に、風雪という名の鑿（のみ）を加えてゆくはずである[1]」。このように砂澤にとっては、「風雪という名の鑿」によって生じる現象も含めてすべてが作品を形成する要素であり、美術館としては作家本人が考える「オリジナル」に忠実に沿って作品を保存・展示していることになる。実際、『四つの風』は、キツツキが巣を作り、キノコが生え、倒れた柱の周りには若い木が生い茂って常に新しい風景を生み出している。『四つの風』の事例は、美術作品にとって、何がオリジナルなのか、またどのように作品を残していくことが作家の意図に沿っているのか、ということを考えさせる。

2　メディアアート作品のオリジナルとは？

近年増加傾向にある映像作品やメディアアート作品などは、機材や記録媒体などの変化が目まぐるしく、オリジナルの形態で残すことが難しくなっていて、多くの議論がなされている。[2]具体的に言えば、八ミリや十六ミリフィルムの作品は、フィルムが製造中止になっていたり映写機自体が希少だったりしている。ブラウン管テレビを使う作品についても、テレビやそのパーツの確保のために美術館関係者や作家自身が奔走するという話をよく耳にする。映像ならばフィルム作品をDVDなどデジタルデータに変換すればいい、と思われるかもしれないが、イギリス人アーティストのタシタ・ディーンのように、フィルムを手作業で切り貼りしながらつなぎ合わせることで作品を制作して、映写機自体もインスタレーションの一部として見せる場合もあり、ことはそう単純ではない。さらに言えば、デジタルデータであっても、マスターデータをハードディスクに保存する場合、ハードディスク自体の耐用年数も（使用頻度にもよるが）約五年と言われていて、決して永遠ではない。また、コンピューターでプログラミングされたデータを使って展示する作品の場合、使用するコンピューターのOSがアップデートされると、プログラムを書き換える必要が生じてくる。

韓国出身のビデオ・アーティストであるナム・ジュン・パイクの場合は、ブラウン管テレビの特徴を利用した作品や、数十台、数百台ものテレビを彫刻的に積み上げて構成する作品などで知られているが、ブラウン管テレビが生産中止になり、世界中の美術館関係者が頭を悩ませている。例えば、『マグネットTV』（一九六五年）は、ブラウン管テレビの上に強力な磁石を置くことで、磁力でモニタの映像がゆがんで映し出され、観客が磁石を動かすとそれに合わせて映像も変化するという作品だ。テレビが映し出す情報（映像）を観客がコントロールすることで、人々が普段、知らず知らずのうちにテレビから発せられる情報によって支配されている社会の構図が、逆説的に浮かび上がる。このブラウン管モニタのかわりに例えば液晶ディスプレイを用いても、同じ効果を物理的に再現することはできない。また、仮に磁力によって変化する映像をコンピューターでプログラミングして擬似的に再現してみせたとしても、それは作家の意図に沿うことにはならないだろう。

パイク作品のなかでも最大規模である、韓国の国立現代美術館所蔵の『The More, The Better』（一九八八年）は、千三台のテレビをバベルの塔のように積み上げた高さ十八・五メートルの巨大な作品だが、モニタの交換など補修を繰り返したのち、二〇一八年に火災発生の恐れがあるなど安全上の問題から作動を停止した。この作品は一九八八年のソウルオリンピックに合わせて制作され、発表時には衛星生中継で世界各国の放送局を結んで映像を映し出した。次々と映し出されるその圧倒的な映像がインターネット社会の到来を予感させる、情報化時代を象徴するパイクの代表作だ。[3]この作品は、その保存・修復方法が早くから議論されていたが、[4]その後は国内外の専門家が調査と協議を重ねて、なるべく原型をとどめるように努める、という方向性で二〇一九年から三年がかりで修復され、二二年に六カ月間の試運転を経て公開されることになった。[5]修復にあたって、交換できるパーツは中古品を購入して交換され、一部、タワー上部のモニタは、液晶ディスプレイが用い

られた。(6)

オランダでメディアアートのアーカイブを研究・実践してきたガビー・ヴェイヤースは、メディアアートの保存・修復に関する倫理と実践についてまとめた論考のなかで、いくつか重要な指摘をしている。(7)ヴェイヤースが述べているように、メディアアート作品も、ほかの美術作品と同様にそれが本質的には唯一無二のオリジナルであることには変わりない。しかし、ビデオ作品をはじめとするメディアアートの場合、その多くがデータのコピーが可能であり、また再生機も作家による改変を加えた例外的なものを除いて量産されたものが多いので、物質的に「唯一無二のオリジナル」という考え方が当てはまりにくい。さらに、日進月歩のテクノロジーを用いるメディアアート作品は、そのテクノロジーの特性のために絵画や彫刻などと比べると短命に終わってしまうという脆弱性をはらんでいる。メディアアート作品の保存・修復は、一九九〇年代の終わりごろから盛んに議論されていて、基本的には「なんとしてでもオリジナルの技術を追求する」派と、「改造・アップデートした技術を用いる」派の二つのアプローチに大別されている。ヴェイヤースは、そのどちらのアプローチも有効であるとしながら、適切なアプローチはその両極の間にあるのではないかと述べている。そしてメディアアート作品でも、ほかの美術作品の保存・修復の場合と同様に、「物理的、美学的、歴史的」な観点から、作家の意図をどのように汲みながら作品のオリジナルを尊重していくかという倫理上の問題について考えることが火急の課題だと、具体的な事例を交えて論じている。ここでは個々の事例は紹介しないが、簡単にまとめると、次のような視点が求められると言える。

現存する作品を成立させる機材や記録媒体などが使えなくなった場合、既存の作品データを別の媒体にコピーするだけでいいのか。それとも使用している再生機がその外観も含めて作品の一部であり、その機材を使用すること自体が作品が成立するうえで重要なのか。代替機器や手段を使えば、再生方法は異なっても、見た目を維持できればいいのか、あるいは見た目は遜色なくても、そうした代替手段による展示は作品の意味を変えてしまうので一切不可として、作品の寿命とするのか。もしくは作品のコンセプトはそのままで、まったく新しく別の形態で作品を作り直すのか、などである。ここで先のパイクの『The More, The Better』をあらためて考えてみると、ここでのブラウン管モニタの使い方は『マグネットＴＶ』とは少し異なり、その彫刻的な外観や、パイクがこの作品を発表していた一九八〇年代の時代精神や社会的文脈などを伝えることがその大きな役割になる。したがって、ブラウン管テレビは、作品のコンセプト的にも美的にも重要な意味をもっていて、できるかぎり維持していくことが望ましいと言える。一方で、その時代時代の最先端のテクノロジーに関心を抱いて作品に積極的に取り入れていたパイクの作品制作のあり方に鑑みると、もしパイクが存命であれば、迷わず新たなテクノロジーを導入するだろうと、パイクを知る技術者や美術批評家が口をそろえて証言している[8]。だが、液晶ディスプレイは画面がフラットなため、ブラウン管モニタとは形状が異なり、かつブラウン管モニタほど画面が明るくないので、すべてを液晶ディスプレイにしてしまうと、作品の生き生きとした見え方が変わってきてしまう。したがって、『The More, The Better』の修復に液晶ディスプレイを最低限の数で一部用いる、という解決策は、まさにこうした作品の背後にある作家の意図や美的・技術的な観点を踏まえた倫理上の問題をキュレーターやコンサバター（保存修復家）たちが総合的に吟味した結果だと言えるだろう。このように作品をその作品として成立させるために必要な条件については、できるかぎり作家本人や作家の制作に関わる関係者と事前によく相談して、どのように再現展示するかなど記録をとっておくことが必要になる。こうした展示や保存に関する作家との確認プロセスの重要性は、近年増加しているパフォーマンス作品の収集と展示でも同じことが当てはまる。

3　パフォーマンス作品の収集と展示

ギモン1では、一九六〇年代から七〇年代にかけて、従来のホワイト・キューブの美術館の外に飛び出した作品をいくつかみてきた。これらは、もともと美術館での展示を想定していない作品であり、その多くは、当時、「モノとして市場で取引される作品」という商業主義・資本主義的な考え方そのものに反旗を翻すものでもあった。なかでも、形に残らないイベントやハプニング、パフォーマンスなどの作品を美術館で収蔵する際には、それらを記録した写真や映像、チラシや案内状などを対象とするか、コンセプチュアル・アート作品のように指示書が残されるだけにとどまっていた。したがって、パフォーマンス作品そのものが美術館に収蔵される、ということは長年なかった。だが、近年、ギモン2で紹介した二〇一九年のヴェネチア・ビエンナーレ、リトアニア館の『Sun & Sea（Marina）』のように、パフォーマンスを展覧会の枠組みのなかで展示する試みも増え

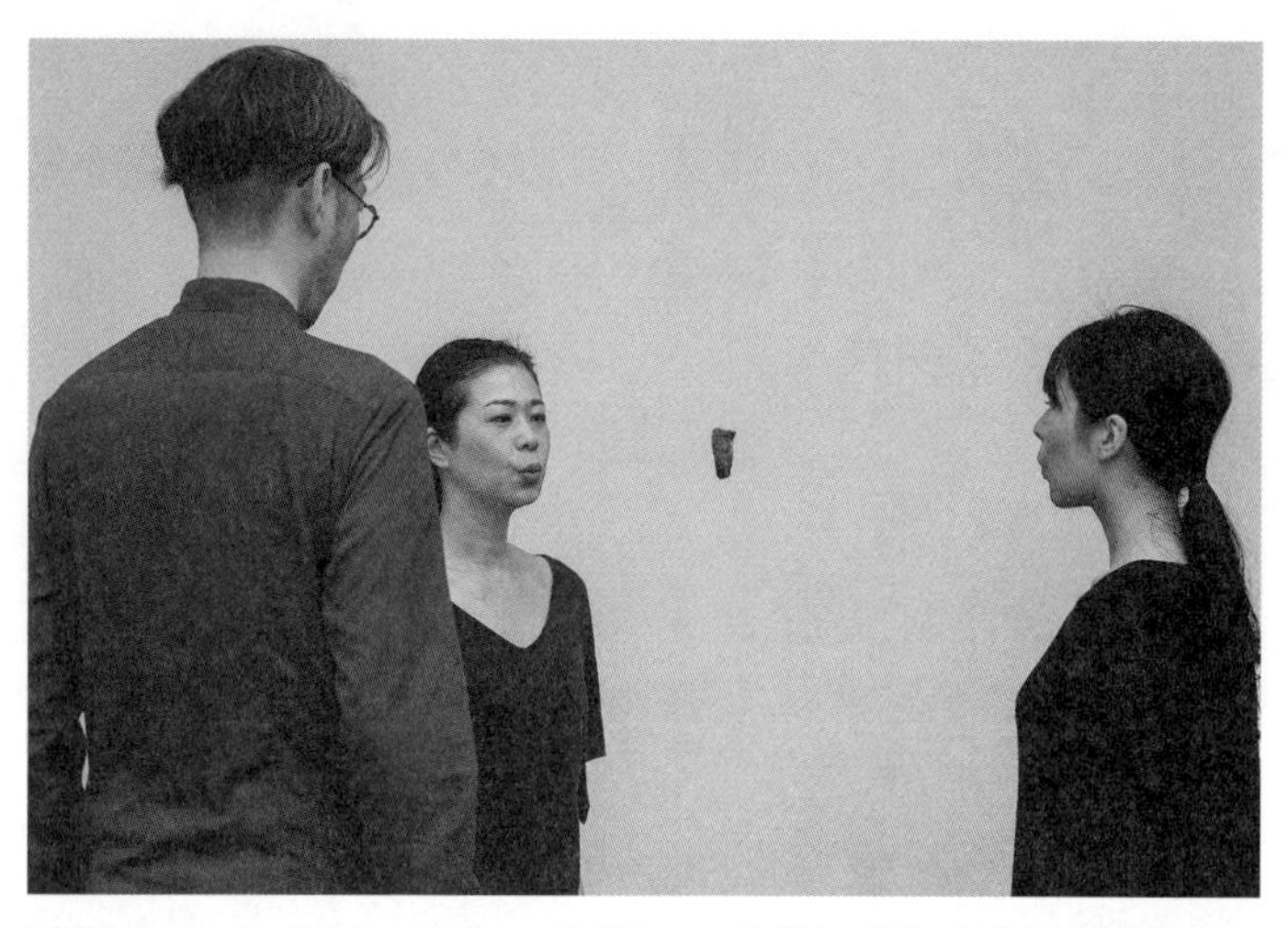

写真8-2　アローラ＆カルサディーラ『Lifespan』（2014年）、国立国際美術館蔵
撮影：福永一夫

ていて、パフォーマンスが美術館のコレクションに加わるケースも〇〇年代からみられるようになった。

この要因としては、テートで長年保存・修復を担当してきたピップ・ローレンソンが指摘するように、一九六〇年代や七〇年代のパフォーマンス作品は作家自身が演者・実行者であることが大半だったが、九〇年代ごろから他者によって演じられるスタイルが増加し、パフォーマンス作品のあり方が変容していることが挙げられるだろう[9]。従来のように作家自身が演者であり、そのことが作品の成立にとって不可欠であるパフォーマンス作品であれば、その作家が不在の場合、あるいは亡くなった場合は、オリジナル作品は再現不可能になるが、作家以外の演者による作品であれば、作家が課する条件を満たせば、再現することができる。そして、それはほかの絵画や彫刻作品のように、収集や貸し出しまでも可能にするのである。

大阪の国立国際美術館は、日本国内ではいち早くパフォーマンス作品の収蔵や展示を積極的に取り入れている。同館が二〇一六年度に最初に収蔵したパフォーマンス作品は、プエルトリコを拠点として活動している二人組の作家アローラ&カルサディーラの『Lifespan』（二〇一四年）だった。[10]これは、展示室の天井から吊り下げた小さな石をめぐって三人のボーカリストが口笛と息で交信をする約十五分間のパフォーマンス作品であり、展覧会の会期中は毎日実施される。三人のボーカリストは、この石を取り囲むように立ち、石に向かって交互に、あるいは同時に息を吹きかけたり口笛を鳴らしたりする。また三人は、しばしその場に立ち止まったり、ゆっくりと石の周りを回ったりしてそれぞれの立ち位置を変えていく。その光景は「ときに激しく、ときに緩やかに変化しつつ、言葉が誕生する前のコミュニケーションの有様を想像させる」[11]。この作品でモノとして物理的に収蔵されているのは、石（四十億年以上前の冥王代の石）とスコア（五線譜と言葉のインストラクションからなる楽譜）である。作品の展示にあたっては、スコアの作曲家であるデイヴィッド・ラングによる指導が必要とされていて、二〇一八年の開館四十周年記念展である「トラベラー　まだ見ぬ地を踏むために」で展示するにあたって、国立国際美術館でも実際にラングをアメリカから招聘し、パフォーマーたちがトレーニングを受けた。また美術館が作品を購入した際にギャラリーと交わした契約書にも、展示や運営に関する事項が多数盛り込まれていた。これに加えて、収蔵後に美術館側が作家にインタビューして聞き取った展示に関する細かな諸条件（パフォーマーの男女比、服装、展示室のしつらえ、照明など）も大変重要な参考資料になっている。スコアに表現されていない事柄が多いため、リハーサルや運営の記録、そして展示条件を記した資料類は、館内に大切にストックされている。こうした資料は、次回に同作品を展示する際のさまざまな判断材料になる。また、もし同作品を再展示するなら、一八年の展示に協力してくれた主に関西圏在住のパフォーマーに再び協力依頼をすることになると想定される。このようにパフォーマンス作品の収集と保存、展示では、メディアアート作品の場合と同様に丁寧に対話を積み重ねて作家の意向を確認し、作品を成立させるための条件を共有し、展示に関する細やかな環境を記録しておくことが鍵になってくる。[12]

一方で、ギモン3で紹介したティノ・セーガルは、作家以外の演者・実行者によって成立するパフォーマンス作品を多数発表しているが、[13]セーガルの場合、写真や映像などの記録を一切残さないことを展示や収集でも徹底していて、アローラ&カルサディーラのようにはいかない。セーガルの『This is Propaganda（これはプロパガンダ）』（二〇〇二年）は、二〇〇六年にテート・ブリテンで開催されたテート・トライアニュアルで展示され、テートの収蔵作品になり話題になった。しかしこの作品の収集や展示にあたっては、ほかのセーガルの作品と同様に、映像などで記録しておくことはできない。またスコアや指示書も存在しない。購入にあたっては、契約書も書面ではなく、口承で交わされる。[14]セーガルはもともと経済学とダンスを学んだ作家であり、彼の作品は、モノとしての作品のあり方を否定する彼の経済的批評の実践になっている。そのため『This is Propaganda』に関しても、ある踊りを知っているダンサーがそれを別のダンサーに踊ってみせることで伝授するように、「身体から身体への伝達」になるようデザインされた作品になっている。[15]この作品の展示や収集にあたっては、作家や作家のスタジオからスタッフが派遣され、オーディションで選ばれたパフォーマー[16]と美術館のキュレーター、コンサバターなどに直接、身ぶりや歌が伝承されていく。セーガルの作品は、一見、収蔵には不向きと思われるかもしれないが、既存の形ある美術作品を扱う仕組みを作家が意図的に巧みに利用していて、展示や収蔵が可能になっている。例えば『This is Propaganda』は、展示の際には、会期中は展示室で最低一カ月間展示することが課されている。またエディションを切ったり、アーティスト・プルーフ（AP）もあり、版画や映像作品のように売買したり、貸し出したりすることができる。ちなみにエディションやAPとは、版画や写真、映像作品のように複製可能な作品を取り扱うときに作家やギャラリーが複製する点数を決めて、作品の価値・販売価格をコントロールする仕組みである。例えば、ある版画を百枚限定で刷ると決めたら、通し番号を1／100、2／100……のように振っていく。この100がエディション数になる。ある美術館はエディション15／100を収蔵し、個人コレクターはエディション23／100をもっている、というふうな具合である。その際に試し刷りなどで作家の手元にある数点をAPと呼び、通常は作家の手元に残して販売の対象にはしない。セーガルの作品に話を戻すと、『This is Propaganda』は、あるエディションがテートのコレクションになっていて、APが別の展覧会に貸し出されていたりする。とはいえ、版画や写真、映像作品と異なり、こうした記録をとることができない、美術館内外の人々の記憶に頼る作品を美術館でコレクションとして長期的に保存・維持していくには、ローレンソンが指摘するように、作品成立に関わる美術館内外の人とのネットワークを保てるように、定期的に再現展示をしたり貸し出しをしたり、美術館で検証する機会を設けたりすることなどが不可欠になってくるだろう。そのために適切なメンテナンスのサイクルは作品ごとに異なり、それぞれの作品のもつ性格に合わせて細やかな対応が求められていく。[17]

4 変化していく作品

先にみたパイクなどのメディアアート作品では、作品の保存と展示をおこなうなかで、何をもってその作品の「オリジナル」とするかが問われると述べた。ここで、本ギモンのまとめに入る前に、最初に紹介した砂澤ビッキの『四つの風』のように変化していくことを前提にしている作品の事例として、もう一つ、タレック・アトゥイの『The Reverse Collection』(二〇一六年)を紹介したい。

アトゥイはレバノン出身、フランス在住のアーティストで、音を使ったインスタレーションやパフォーマンス、さまざまな協働作業を伴うプロジェクトなど、ユニークな活動を展開している。彼の長期にわたるプロジェクトの一つである『The Reverse Collection』の収集・展示のあり方は、作品が成立してきた経緯とともに一風変わったものになっている。この作品は、まず二〇一四年にアトゥイが実験音楽のミュージシャンたちをベルリンのダーレム地区にある民族学博物館に招き、そこに収蔵されている素性や演奏方法が定かではない民族楽器を即興で演奏してもらったことから始まる。アトゥイはこのときの楽器ごとの演奏を録音した素材をもとに、これらの楽器のためのスコアを書き、そのスコアは同年のベルリン・ビエンナーレで演奏された。そして今度は、このときの演奏を録音した音源をもとに、視覚的な情報を排除し、音だけを手がかりとして、この音を奏でることができる楽器を複数の現代楽器制作者たちに作ってもらうよう依頼した。結果的には八つのオリジナル弦、管、打楽器が作られ、一四年十一月にメキシコ・シティの展覧会で展示され、これらの楽器を使って演奏もされた。そして一六年には、新たに中国とフランスで作った楽器二つを加えて、先の八つの楽器とともにテート・モダンで展示され、これらを使って定期的に展示室で演奏がおこなわれた。アトゥイはこれをさらに録音して、一時間のマルチチャンネルのサウンド作品を作り、それもテート・モダンでの展示に加えられた。こうして、『The Reverse Collection』は、音を手がかりに楽器を作る、という従来の楽器制作のプロセスをタイトルのとおり「Reverse（逆行）」させる作品になって、テートのコレクションになった。だが、この作品の再展示にあたっては、その複雑な成立過程のように何通りもの可能性があるという点で、ほかの作品とは一線を画している(18)。

まず、『The Reverse Collection』は、二〇一六年のテート・モダンでの展示のようにインスタレーション作品として、アトゥイのマルチチャンネル・サウンド作品と一緒に展示することができるが、このとき展示する楽器は全部でもいいし、一つだけでもかまわない。また新しい演奏者や作曲家を招いてパフォーマンス作品として発表することもできる。そして万一楽器の一つが壊れてしまった場合は、音だけを手がかりに新しい楽器を作ることも理論上可能である。実際、『The Reverse Collection』は、テート・モダンの展示のあとも、世界各地の別の展覧会などで、新しいリサーチに基づいて別の楽器制作者が作った楽器を加えたり、アトゥイの別のプロジェクトと組み合わせて発表するなどして次々と形を変えて展示・演奏されている。このように最終的な形態が定まっていない、オープンエンドな作品の保存と展示では、キュレーターもコンサバターも、常に新たに生まれ変わる可能性がある作品に、その成立過程から立ち会うことになり、臨機応変な対応が求められる。

5 変化していくキュレーター、コンサバター、美術館

ここまでみてきたとおり、メディアアート作品やパフォーマンス作品など、長期にわたって形が残りにくい作品の展示と保存では、いずれも作品の成立にとって何が本質的な条件なのかについて作家との話し合いを重ね、きちんと記録しておくことが不可欠だとわかるだろう。物故作家の作品の場合は、そのプロセスはより困難になるが、作家を知る関係者や遺族などに聞き取り調査をしたり、それまでの展示の記録などを丁寧に掘り起こしたりすることで保存や再展示が可能になるケースもある。例えばアメリカ人アーティストで二〇一六年に亡くなったトニー・コンラッドの『Ten Years Alive on the Infinite Plain』(一九七二年)は、スコアが残されていない作品であるものの、作家の死後にテートに収蔵された。これはテートによる関係者への聞き取りや資料のリサーチ、再現ワークショップなど非常に根気強いプロセスを経てようやくコレクションにつながったものである。[19]

メディアアート作品の場合、機材などの生産終了に備えて、スペアの部品や機器のストックなど物理的な面での備えが重要だが、同時にこうした機材を扱える技術者など人的資源の確保も課題に

なっている。美術館内に専門の技術スタッフが常駐している館の数は世界的にみても限りがあり、展示や保存に際しては、外部の専門家に協力を依頼することが多い。またパフォーマンス作品の場合も、セーガルやコンラッドの例のように作品の記憶を美術館内外のできるだけ多くの人と共有し、定期的に検証しアップデートしていくことが求められる。このようにメディアアート作品やパフォーマンス作品の展示と保存は、必要な機材などの確保、技術者や外部協力者の確保と人的ネットワークの構築、作品の再現展示を検証するための場所や予算の確保などさまざまな課題が山積していて、一つの美術機関の予算とネットワークだけでは難しいことは明らかだろう。この分野で先駆的な試みにいくつも取り組んできたテートも、研究費や助成金などの外部資金を複数の機関とときには国を超えて共同して確保し、協力しながらリサーチや検証を進めている。日本でもメディアアートに関しては、メディア芸術アーカイブ推進支援事業[20]として、文化庁が支援しているが、単体のプロジェクトを対象とするものに限られていて、美術館内外を横断するようなネットワークの構築にはいたっていない。パフォーマンスを含めたタイムベースト・メディアの保存と展示に関する美術館内外を結ぶ包括的で国際的なネットワークの構築は、今後ますます求められていくことだろう。

展覧会は、一過性の作品を展示するだけではなく、形として残りにくい作品や、再現展示が難しい作品を検証して後世に伝えていくという重要な役割もある。そうした作品の展示を実現すべく、キュレーターやコンサバターは日々、試行錯誤している。作品のあり方が変化するにつれて、作品の展示や保存を取り巻く環境もアップデートされていく。それを支えるコンサバターもキュレーターも、そして美術館もまた、当然ながらそのあり方を変えていくことが必要だろう。

注

(1) 札幌市企画、札幌芸術の森編『札幌芸術の森野外美術館図録』札幌芸術の森、一九八六年、八六ページ

(2) メディアアート作品を中心にしたタイムベースト・メディアの修復・保存については、京都市立大学が中心になってまとめた「タイムベースト・メディアを用いた美術作品の修復/保存のガイド」(〔https://www.kcua.ac.jp/arc/time-based-media/〕［二〇二三年十一月二十二日アクセス］)を参照されたい。また海外では、ニューヨーク近代美術館(MoMA)とサンフランシスコ近代美術館(SFMOMA)、テートの三館によって二〇〇四年に立ち上がったMatters in Media Art(メディアアートの諸問題)が、メディアアートの保存・修復と展示について、有益なオンラインのガイドを公開している。"Guidelines for the care of media artworks" (http://mattersinmediaart.org)［二〇二三年十一月二十二日アクセス］。これらのガイドや文献資料がいずれもオンラインで公開されているという事実もまたアーカイブの新しい共有のあり方を体現するものになっている。

(3) Nam June Paik, "Wrap around the World," *Media Art Net* (http://www.medienkunstnetz.de/works/wrap-around-the-world/images/8/)［二〇二三年十一月二十二日アクセス］

(4) 二〇一二年十一月二十三日には「How to Conserve The More, the Better」という国際シンポジウムが韓国国立現代美術館で開催されて、そこですでにブラウン管モニタを液晶ディスプレイで代替する修復方法も提案されている。平諭一郎「《The More, the Better》は「なにか」の乗り物である」、平諭一郎ほか編『ナムジュン・パイク《The More, the Better》に関するノート』所収、東京藝術大学、二〇一五年

（5）韓国国立現代美術館 "Ending Test Operation of Paik Nam June's 'The More The Better'" July. 8, 2022（https://www.mmca.go.kr/eng/pr/newsDetail.do?bdCId=202207080008320）［二〇二三年十一月二十二日アクセス］

（6）「ナムジュン・パイク作品 モニター修理し原形保存へ＝韓国美術館」「KONEST」二〇一九年九月十一日（https://www.konest.com/contents/news_detail.html?id=40599）［二〇二三年十一月二十二日アクセス］、Park Yuna, "Paik Nam-june's 'The More, The Better' operates for six-month test run," *The Korea Herald*, Jan. 24, 2022（http://www.koreaherald.com/view.php?ud=20220123000112）［二〇二三年十一月二十二日アクセス］

（7）以下の考察は、次の論考を参照した。Gaby Wijers, "Ethics and practices of media art conservation, a work-in-progress（version0.5）," Aug. 2010（https://www.scart.be/?q=en/content/ethics-and-practices-media-art-conservation-work-progress-version05）［二〇二三年十一月二十二日アクセス］

（8）前掲「《The More, the Better》は「なにか」の乗り物である」、YOON SO-YEON, "'The More, The Better' has a monitor problem: The screens on Nam June Paik's biggest work are staying retro," *Korea JoongAng Daily*, Sep. 16, 2019（https://koreajoongangdaily.joins.com/2019/09/16/movies/The-More-The-Better-has-a-monitor-problem-The-screens-on-Nam-June-Paiks-biggest-work-are-staying-retro/3067963.html）［二〇二三年十一月二十二日アクセス］

（9）Pip Laurenson and Vivian van Saaze, "Collecting Performance-Based Art: New Challenges and Shifting Perspectives," in Outi Remes, Laura MacCulloch and Marika Leino eds., *Performativity in the Gallery: Staging Interactive Encounters*, Peter Lang, 2013, p. 33

（10）アローラ＆カルサディーラ作品についての詳細は、植松由佳「トラベラー まだ見ぬ地を踏むために」（橋本梓／植松由佳／林寿美編『トラベラー　まだ見ぬ地を踏むために』展覧会カタログ所収、国立国際美術館、二〇一八年）一三―一四ページ、林寿美「アローラ&カルサディーラ」（同カタログ所収）一一二ページ、ならびに同館主任研究員の橋本梓氏へのメールインタビュー（二〇二二年七月十九日）に基づく。

（11）同書一一二ページ

（12）パフォーマンス作品の収集について考慮すべき手順や項目は、下記のテートによるリストが有益である。TATE, "The Live List: What to Consider When Collecting Live Works" (https://www.tate.org.uk/about-us/projects/collecting-performative/live-list-what-consider-when-collecting-live-works)［二〇二三年十一月二十二日アクセス］

（13）ただし、ピップ・ローレンソンによれば、ティノ・セーガル自身は自分の作品が「パフォーマンス」と呼ばれることに関しては否定的で、「生きた彫刻（living sculptures）」「構成された状況・経験（constructed situations/experiences）」と呼んでいる。Laurenson and Saaze, op. cit., p. 35.

（14）Louisa Buck, "Without a trace: Interview with Tino Sehgal," *The Art Newspaper*, March. 1, 2006 (https://www.theartnewspaper.com/2006/03/01/without-a-trace-interview-with-tino-sehgal)［二〇二三年十一月二十二日アクセス］

（15）ローレンソン氏へのメールインタビュー、二〇二二年八月十六日

（16）セーガル本人は「パフォーマー」と呼ばず、「解釈者／翻訳者（interpreter）」と呼んでいる。同インタビュー

（17）Laurenson and Saaze, op. cit., pp. 36-37.

（18）タレック・アトゥイ作品については下記を参照。Tarek Atoui, *Tarek Atoui: The Reverse Sessions/*

The Reverse Collection, Mousse Publishing, 2017, p. 1, 19. 再展示に関する詳細については、ローレンソン氏の下記シンポジウムでの発表とメールインタビューに基づく。国際交流基金・水戸芸術館共同企画特別国際シンポジウム「プレイ⇔リプレイ――「時間」を展示する」水戸芸術館ACM劇場、二〇一八年十一月三日（https://www.jpf.go.jp/j/project/culture/exhibit/exchange/2018/09-01.html）［二〇二三年十一月二十二日アクセス］

(19) トニー・コンラッド作品の収集プロセスについては下記のテートのウェブサイトを参照。TATE, "Reshaping the Collectible: When Artworks Live in the Museum," (https://www.tate.org.uk/research/reshaping-the-collectible)［二〇二三年十一月二十二日アクセス］, TATE, "Conserving Tony Conrad," (https://www.tate.org.uk/art/artists/tony-conrad-25422/conserving-tony-conrad)［二〇二三年十一月二十二日アクセス］

(20) なお、文化庁のメディア芸術アーカイブ推進支援事業は、次の文化庁の「メディア芸術の振興」のサイトを参照されたい。文化庁「メディア芸術の振興」(https://www.bunka.go.jp/seisaku/geijutsubunka/media_art/)［二〇二三年十一月二十二日アクセス］

ギモン9　どうして展覧会を作るの？

1　宇佐美圭司の「きずな」をめぐって

二〇一八年の春先、東京大学中央食堂に長年展示してあった宇佐美圭司の絵画『きずな』（一九七七年）が一七年の同食堂の改修工事の際に廃棄されたというニュースが社会をかけめぐった。同作は、東京大学消費生活協同組合設立三十周年記念事業の一環として、当時、同大文学部助教授だった高階秀爾の推薦で宇佐美に依頼して制作された三百六十九・〇×四百七十九・四センチの絵画である。記念事業委員会から大学生協に寄贈され、一九七七年から中央食堂の壁に設置されていた。(1)

宇佐美圭司は戦後日本を代表する画家の一人であり、身体のシルエットをモチーフにした絵画などで知られる。またレーザー光線を用いた作品を早くから制作するなど、実験的なメディアも扱っ

写真9-1 「宇佐美圭司　よみがえる画家」展会場風景（2021年）、東京大学駒場博物館
撮影：加治屋健司

ていて、一九七〇年の大阪万博では、鉄鋼館でレーザー光線を使ってスペース・シアターという音楽ホールの演出を担当した。旺盛な評論活動でも知られ、『絵画論――描くことの復権』（筑摩書房、一九八〇年）、『デュシャン』（「20世紀思想家文庫」、岩波書店、一九八四年）などを著した。一方で、近年、宇佐美という作家については展覧会などで大きく取り上げられる機会がなく、特に現在の学生などの若い世代は、宇佐美の仕事にあまりなじみがない人が大半という状況もあった。『きずな』が失われたのも、まさにそうしたタイミングで起こったものだった。

作品が不用意に失われてしまう、というショッキングな事件自体は、本来あってはならないことではあるが、こうした事態への猛省から、東大は、まず二〇一八年九月にシンポジウム「宇佐美圭司《きずな》から出発して」を開催した。このシンポジウムでは、「きずな」という作品、宇佐美圭司と戦後日本美術、そして東京大学と文化資源、という三つのテーマで、学内外のパネリストを招いて熱心な議論が交わされ、詳細な報告書にまとめられた(2)。だが、東大はこの問題をここで終わりにせず、二一年に大学内にある駒場博物館で、「美術における再制作(3)」をテーマにした展覧会「宇佐美圭司 よみがえる画家」を開催することで応答した(4)。コロナ禍で会期が変更されたり、学外への公開期間が限定されたりしたものの(5)、筆者自身も同展を鑑賞する機会に恵まれ、展覧会というメディアがもつ役割と可能性について多くの示唆を得ることができた。

本書ではここまで、さまざまな角度から展覧会というメディアについて考えてきた。本ギモンでは、それを総括するうえで、まずは宇佐美圭司の『きずな』をめぐる展覧会をひもとく。そして後半では、近年増加傾向にある過去の展覧会を再現する展覧会、言わば「展覧会の展覧会」の事例と照らし合わせながら、最後に、なぜ展覧会を作るのか、という本質的な問いをあらためて考えてみたい。

2 東大での展覧会に向けて

東大での展覧会では、『きずな』という作品を検証し、宇佐美圭司という作家の活動をあらためて振り返る作業がおこなわれた。まずは、紛失が明らかになった『きずな』が、そもそもどういう作品だったかについて調査された。同作品は、美術館ではなく、食堂という環境に置かれていたこともあり、タイトルを示すキャプションも付されておらず、ディテールがわかるようなプロのカメラマンが撮影した作品写真も残されていなかった。手がかりになるものは、二〇一三年のセゾン現代美術館での個展カタログに掲載されていた、食堂に飾られていた様子を写した白黒の図版と、個人が撮影したスナップ写真や、大学側が建物の一部として資料的に撮影していた写真があるだけだった。そのため、こうした資料を頼りにデジタルでカラーの再現画像を作成することが試みられた。[6]このときに、もとの絵と同じ素材と技法でそっくり同じサイズに復元することは見送られた。これには、宇佐美がすでに他界していて、本人による再制作がかなわないという事情に加えて、失われたものに対して弁解のようになりかねないことへの懸念と、紛失した事実を厳粛に受け止めたいという大学関係者の思いが背景にあった。かわりに高解像度の再現画像を作って、今後の研究のための資料とし、実際の駒場博物館の展示空間では、オリジナルの五分の一の大きさでこの高解像度画像が紙に出力され、資料的に展示されるとともに、原寸大の再現画像がプロジェクターを使って展示室壁面上部に投影された。

また宇佐美の作品調査の過程で、福井にある宇佐美のアトリエで、『Laser: Beam: Joint』（一九六八年）に使用された、人型にくり抜いた蛍光色のアクリルパネルが良好な状態で保管されているのが見つかった。『Laser: Beam: Joint』は、当時、まだ珍しかったレーザー装置を美術作品に用いたもので、南画廊（東京）の個展で一九六八年に発表された。人型のシルエットがくり抜かれたアクリルパネル八枚を展示空間内に配し、パネルに組み込まれた鏡に緑と赤のレーザー光線を当てて反射させ、人型と人型、なかに入った観客同士を結ぶようにレーザー光線を走らせる画期的な作品である。この人型のモチーフは、アメリカの写真が中心のグラフ雑誌「ライフ（LIFE）」に掲載されていた、六五年にロサンゼルスの黒人居住地域で起こったワッツ暴動の報道写真がもとになっている。そこから宇佐美は「かがむ人」「たじろぐ人」「走る人」「投げる人」の四つのポーズを抽出して、シルエットになった人型を作成し、それらを『Laser: Beam: Joint』のほか、さまざまな絵画作品にも多用した。『きずな』もこの記号化された人型が画面に配され、それらをグラデーションになった色の帯状の線が結んで、ダイアグラムのような絵画を構成している。『Laser: Beam: Joint』は、『きずな』に先行する作品だが、『きずな』のグラデーションの線が絵画という二次元上で、人型同士を関係づけているように、レーザー光線で人型や人を結び付けて三次元に展開した作品ともいえ、『きずな』とも関係が深い作品である。

東大の展示では、総合大学の特性を生かし、レーザー物理学を専門とする教授陣らの協力を得て、『Laser: Beam: Joint』を再現展示した。ただし、観客が空間のなかに入って光を遮るという発表当時の斬新な試みは安全上の理由から変更を余儀なくされた。結果として、今回の展示では、観客は当時の南画廊の空間を再現した部屋の外からアクリルガラス越しに作品を鑑賞するスタイルをとって、光線の強さも調整されたものになった。また実際にレーザー光線を照射するデモンストレーションも学芸スタッフ立ち会いのもと日時を限って実施された。展覧会では、このほかにも「きずな」につながるような宇佐美の絵画や立体、記録映像や資料などが小規模ながらも丁寧に紹介された。

　これに加えて、駒場博物館に、もとより常設で展示されていたデュシャンの通称『大ガラス』[7]のレプリカもあわせて展示された。『大ガラス』は、現在、オリジナルがアメリカのフィラデルフィア美術館にあるほかは世界でも三つしかレプリカが残っていないが、そのうちの一つが東大で再制作されたものである。一九七七年に当時東大助教授だった横山正と多摩美術大学教授の東野芳明が中心になって、レプリカ制作の話が持ち上がり、東野と瀧口修造を監修に迎え、両大学が共同で取り組み、オリジナルの制作過程を詳細に検証しながら、八〇年に完成した[8]。それ以来、駒場博物館のシンボル的な存在として展示されている。宇佐美自身がデュシャンについての論考を発表していたこともあり、また今回の展覧会テーマである「美術における再制作」にも呼応することから、『大ガラス』も展覧会の一部として展示された。

　このように『きずな』の紛失を発端として生まれた同展は、作品としての『きずな』を別の形態で再現し、また宇佐美圭司という作家の仕事を振り返る機会になった。また美術の再制作とは何か、という問いにも展覧会として応答し、展覧会タイトルの「宇佐美圭司 よみがえる画家」が示唆するようにさまざまなスタイルでの「よみがえり」が可視化された。折しもコロナ禍でリアルな鑑賞体験が長期にわたって制限された環境下で、オンライン上でバーチャルで鑑賞できる展覧会や作品が次々と登場するなか、失われた絵画をめぐって、あえてリアルなモノや展示で応えるという試みは、展覧会というきわめてアナログなメディアが果たす役割の重要性をあらためて提示するものになった。

3　展覧会のあとに残るもの

　ここで、あらためて展覧会というメディアを考えるにあたり、一つの展覧会が終わったあとに何が残るかについて考えてみよう。ここまでみてきたように、展覧会は、ある時空間に限られた形態で存在するメディアである。したがって、当然ながら展覧会が終わったら、通常はカタログや記録写真などでしかその様子を知ることができない。そのため、これまでのカタログでは、その展覧会に関するキュレーターや専門家による論考などのテキストを作品写真などと一緒に掲載することが一般的だった。逆に言えば、展覧会が終わってしまえばカタログしか残らない、という状況があり、キュレーターにとっては、展覧会本体を作るだけではなく、カタログを制作することまでが重要な展覧会制作の仕事の一部と位置づけられている。またカタログなどでテキストを書くことは、その展覧会で扱った作家や作品を美術史や美術の言説に位置づけていく、という大切な作業の一端を担うことでもある。作家や作品を展覧会として取り上げることの意味はここまでのギモンでも考えてきたが、作品展示だけでは語りきれない部分をテキストが補うことも多い。

　近年は、展示風景写真を展覧会のウェブサイトに掲載したり、観客自身が交流サイトＳＮＳに写真を投稿して発信する機会も増え、その展覧会に実際にはいかなくとも、カタログ以外の手段で展覧会のことを情報収集できる機会が飛躍的に増加した。さらに、コロナ禍で美術館自体が休館を迫られる事態などが生じ、展覧会場を学芸員が解説してめぐる動画が登場したり、展覧会そのものを三六〇度カメラで撮影し、3DのVRでオンライン上で鑑賞することもできるようになった。これによって、これまで海外などアクセスが限られていた遠方の展示も、スマホやパソコンでいつでもどこでも見ることが可能になった。こうした移動の制限から解放される鑑賞体験は、身体に障害があるなど行動範囲が限られていたり、仕事や育児・介護などで時間の制約があったりする人々にとっても新しい鑑賞の機会を生み出している。とは言え、こうした新しいテクノロジーを使った体験は、過渡期にあり、実物を見る、というアナログな展覧会の体験とは残念ながらほど遠い。それは、展覧会というメディアが身体を通してその時空間ごと体感し経験する行為にほかならないからであることは、これまでのギモンでみてきたとおり、明らかだろう。ここで、なぜ展覧会を作るのか、というギモンを考える前に、近年、盛んになっている過去の展覧会そのものを展覧会という形態で物理的に再現する試みを少し紹介したい。

4　展覧会を再現する

先にみてきたように、展覧会は一回性のメディアであり、一つの展覧会が終了すればあとにはカタログしか残らない。特に写真や印刷技術のクオリティーがあまり高くない時代のカタログ類は、写真も白黒だったり、図版も鮮明でなかったり、カラー図版の発色もよくなかったりして、詳しい様子がよくわからない展示も多い。一方で一九九〇年代後半に入って、展覧会史やキュレーター史を再検証するような試みが欧米を中心におこなわれるようになり、過去の展覧会やキュレーターの実践を振り返るような書籍が盛んに刊行されている。例えば二〇〇五年に没したスイス人キュレーター、ハラルド・ゼーマン（ギモン1を参照）については、全展覧会の記録が七百六十ページ以上にわたる分厚い辞典のような書籍にまとめられている。(9)

また、一九八九年にパリのポンピドゥー・センターとラ・ヴィレットの二会場で開催されたジャン＝ユベール・マルタン企画の「大地の魔術師たち（Magiciens de la terre）」展は、多文化主義について初めて共時的なアプローチで大々的に扱った重要な展覧会だが、当時発行されたカタログは、作品写真は掲載されているものの展示風景写真が掲載されていなかった。同展に関しては、その全貌に関する詳細な記録が広く共有される機会が長らくなかった。だが、マルタン本人による尽力もあって、開催から二十五年たった二〇一四年にポンピドゥー・センターで同展に関するアーカイブ資料展示(10)とシンポジウムが実施され、さらに当時の作品の配置図や質の高いカラーの展示風景写真をふんだんに取り入れたカタログが刊行された。

こうした潮流のなか、二〇一三年には、ゼーマンがスイスの美術館クンストハレ・ベルンで企画した伝説的な展覧会「態度が形になるとき 作品―概念―過程―状況―情報」を、ヴェネチアのプラダ財団の美術館（Fondazione Prada）が展覧会ごと再現する、という試みがおこなわれて大きな反響を呼んだ。同展は、同財団のアーティスティック・ディレクターも務めたイタリア人美術批評家で「アルテ・ポーヴェラ」(11)の命名者であるジェルマーノ・チェラントによって企画された。またチェラントに加えて、ある室内などの状況を紙を使った実物大の模型で再現し、それを撮影した写真や映像作品で知られるドイツ人アーティストのトーマス・デマンドや、ミラノにある元蒸溜所をプラダ財団の美術館として生まれ変わらせたことでも知られる建築設計事務所OMAを率いるオランダ人建築家のレム・コールハースも企画に参加した。

一九六九年に実施された「態度が形になるとき」は、事前にアトリエなどで制作した作品を会場に持ち込むのではなく、美術館の展示室や建物の内外にアーティストが直接その場で作った作品を展示するようないわゆるインスタレーション作品がメインになった画期的な展覧会だった。そこでは、各作品が独立して額装されたり、展示台の上に置かれているのではなく、異なる作家による作品同士が同じ展示空間で共存するように配置されたり、さまざまな作家による作品が同時進行で制作されたりしていった。したがって、現代にこの展覧会をよみがえらせることの意義について検討が重ねられた際に、単に個々の作品を再現・再制作するのではなく、ある作品と別の作品との関係性、展示する建築空間と作品との関係性によって生まれる展覧会というメディアならではの文脈に着目し、ゼーマンというキュレーターが企画した展覧会の「言語」を検証・再考することが重視された[12]。こうして二〇一三年のヴェネチアのプラダ財団での展示では、一九六九年のベルンのクンストハレと時間も空間も異なる場所で、「時間の跳躍（leap in time）」というアプローチで、オリジナルの展覧会をできるだけ物理的に同じように再構成することが試みられた[13]。会場になったプラダ財団は、十八世紀の貴族の館であり、館内にはいたるところにフレスコ画やしっくいの天井装飾などが残され、優美な面影で彩られた建物である。対してベルンのクンストハレは、一九一八年に開館した現代美術を中心に展示する美術館で、近代的なホワイト・キューブの展示空間をもつ。だが、この展覧会では、いわゆる通常の巡回展のように会場ごとに作品の展示レイアウトや構成を変えるのではなく、ベルンの展示をそのままプラダ財団の建物に移植する形態で構成された。また、展示風景をデジタル映像などで再現する、というアプローチはあえてとらず、あくまでも実物で見せることが重視された。これは、展覧会というメディアは、画面の外から眺めるのではなく、あくまでも展覧会の時空間のなかに物理的に入り込んで体感することが求められる性質をもつからだとチェラントは語っている(14)。

ヴェネチアの会場では、建物の一階部分には、ゼーマンの手書きのノートや写真などのアーカイブ資料が展示され、中二階にベルンの一階部分の展示、「貴族の階」と呼ばれる二階のメインフロアには、ベルンの二階の展示が再現された。また最上階の五階には、シュルヴァルテ(Schulwarte)というクンストハレに隣接するサブ会場の展示の再現が試みられた(15)。展示は、ロサンゼルスにある美術研究機関のゲティ学術研究所に残されているゼーマンのアーカイブ資料やベルンのクンストハレのライブラリーに保管されていた資料のなかから、数千枚もの会場風景写真、書簡やメモなどを手がかりに再現が試みられた。また当時の参加作家や、その作品を管理している財団や遺族、コレクターや美術館などの協力も得ながら、できるかぎりオリジナルのベルンの展示に忠実に再現された。どうしても再現がかなわなかった作品などは、白い点線でその場所を囲って示すようにした。

このように二〇一三年のヴェネチアのプラダ財団での展示は、多くの美術関係者にとってそれまで見ることができなかった伝説の展覧会が、時空を超えて再現されるというユニークな機会になった。また七百ページもの大判のカタログには、一九六九年当時の写真資料や作品の配置を示す図面とともに、二〇一三年の会場風景写真や関係者へのインタビュー、エッセーなどが盛り込まれた。このように展覧会をまるごとアーカイブ展示するこの大がかりな試みは、あらためて展覧会というメディアについて、またこの展覧会の現在での歴史的な意義づけについて多くの人に問うものになった。一九六九年と二〇一三年という年月だけでなく、あえて歴史的背景も特徴もまったく異なるプラダ財団の展示空間にベルンの展示を移植することで、同じ展覧会が時と場所を超えて逆照射され、過去の文脈があぶり出されるような効果を生み出した。加えて、この一三年の展覧会が、世界中の美術関係者が訪れる、国際展のなかでも最も権威あるものの一つであるヴェネチア・ビエンナーレの会期に合わせてヴェネチアで実施されたことは、一九六九年のベルンでの試みとはきわめて対照的な文脈を作り出した。オリジナルの展覧会は、タイトルの「態度」という言葉が示すように、従来の絵画や彫刻とは異なる、美術のマーケットでは取引することが難しいものや、最終的な作品ではなくその制作プロセスやコンセプトを重要なものとして提示する、という実験的で挑戦的な試みだった。だが、今回、それらがビエンナーレ開催中のヴェネチアで展覧会として再現されるにあたって、六九年の時点では、作品として売り物にならなかったようなロープやマーガリン、フェルトやネオン管が、皮肉にも現在では当時の新しい美術の動向を示す典型的な作品として価値づけられた文脈のなかで展示された。さらに、それらを作り出した前衛的な若手作家は、いまでは主要な現代美術作家として美術史に位置づけられている。

写真9-2 「Re: play 1972/2015――「映像表現 '72」展、再演」展（2015年、東京国立近代美術館）会場風景
撮影：木奥惠三

過去の展覧会を展覧会として振り返る試みは、近年、日本でも実施されている。例えば、東京国立近代美術館では、二〇一五年に「Re: play 1972/2015――「映像表現 '72」展、再演」という、一九七二年の京都市美術館での展覧会を再演する展覧会を開いた。「第5回現代の造形〈映像表現 '72〉――もの・場・時間・空間―Equivalent Cinema」展（「映像表現 '72」展）は、普段、絵画や彫刻を制作している十六人の造形作家による映像作品の展覧会で、六日間の京都市美術館での展覧会と、関連企画として三日間の京都商工会議所での上映会がおこなわれた。東京での展示では、物理的な制約から、京都のオリジナルの展示スペースを九〇パーセントに縮小して再演することが試みられた。展示室では、記録写真や参加作家、関係者への聞き取りなどを手がかりとして、京都の会場での各作品や什

写真9-3 「Re: play 1972/2015——「映像表現 '72」展、再演」展（2015年、東京国立近代美術館）会場風景
撮影：木奥惠三

器、機構をできるかぎり忠実に配置した。また、その展示スペースを囲むように外側の回廊状の空間に、解説や作家へのインタビュー映像、関連資料などを展示した。ただし、映像作品は、「映像表現 '72」展のときのように壁に投映されるのではなく、展示スペースを囲む仮設壁に透過性のスクリーンをしつらえて投影した。したがって、展示スペースの外側にも、内側とは左右が反転する映像が映し出された。観客は、過去を再現した内側から映像を観る体験と、それを外側から資料的に見つめる体験を重ね合わせながら鑑賞することになった。フィルムやビデオなどの映像は、展示用のコピーを作成して上映し、完全にあるいは部分的に失われているものは再撮影・再制作はおこなわないことにした。ただし、オリジナルが唯一無二のものである八ミリフィルムは、すでに現像所での複製サービ

スが終了していて、十週間という東京での会期で上映することは、貴重なフィルムにダメージを与えると懸念されたため、デジタル技術を取り入れた複製作業がおこなわれた。また映像以外のインスタレーション的な要素は、作家が存命の場合は再制作、そうでない場合は欠損として点線などで表示した。機材は、当時使用された投映・再生機種は特定しながらも、動態展示は、会期の長さを考慮して異なる機材を用いるなど、さまざまな配慮がなされた。カタログは二巻に分かれていて、Volume 01が一九七二年の「映像表現'72」展の際に制作されたカード形式のカタログの復刻版、Volume 02が四つの小冊子（Book 01-04）で構成されたものだった。Book 01が七二年当時の記録写真、02が二〇一五年の会場風景写真、03が出品作品データ、04が論考・資料と分かれていて、一九七二年当時の展覧会の詳細な資料を示すとともに、二〇一五年の再演にいたるまでの細やかな過程を丁寧に追った内容になっている。Book 04の論考・資料には、一九七二年の図面が重ね合わされた二〇一五年の図面に加えて、一五年の外側の仮設壁の展示についても詳細な展開図が掲載された。この展覧会でも、ヴェネチアの「態度が形になるとき」展のように、過去の展覧会を時空が異なる現在に移植する、という手法をとっている。そうすることで現在と過去が重なり合いながらも、完璧に重なることはできないので同時にズレを生み出す。そのズレが、過去の展覧会を現代の文脈に照らし合わせながら読み解くことを可能にしている。展覧会を企画した三輪健仁の言葉を借りれば、「一九七二年の展覧会を引用した二〇一五年の展覧会のアクチュアリティ[16]」が、過去と現在の二つの展覧会という一回性のメディアを通して、より鮮やかに浮かび上がる試みになった。このように、過去の展覧会という一回性のメディアを、再び同じ展覧会という一回性のメディアで再現する試みは、私たちに一体何を問いかけているのだろうか。私たちは一過性・一回性の展覧会というメディアになぜ引かれるのだろうか。

5　なぜ展覧会を作るのか

ここであらためて、なぜ展覧会を作るのか、というギモンに立ち返ってみよう。ギモン3でもみてきたとおり、展覧会は、まず作品を作品として美術史に位置づける装置だと言える。またギモン7で紹介したように、展覧会は、美術史を編纂していくという役割をもつ。さらにギモン8でふれたように展覧会には、パフォーマンス作品のように形として残りにくい作品や、メディアアート作品のように再現展示が難しい作品を検証し、後世に伝えていくという重要な役割もある。いずれにしても、展覧会は、美術館活動の要になるものであり、それらは、基本的にはアーティストが作り出す作品を目に見える形態で観客に届けるための言語あるいはシステムであると言える。これは美術館外で実施されるアートプロジェクトなどでも同様である。言い換えれば、美術を通して作家と観客をつなぐ共通言語を作り出す場が展覧会だといえるだろう。展覧会という一過性・一回性の時空間を通して、キュレーターは、作家たちの実践や異なる作品同士の関係性を体系的に捉え直し、美術史の潮流に位置づけたり新しい言説を生み出したりする。そして観客はその時空間に実際に入り込むことで、視覚的・物理的に展示を体感し、その背後にある歴史的な文脈を読み取ったり、自らの記憶や感情と結び付けたりしながら唯一無二の体験を得ていく。

展覧会は、そのアナログさや物理的な制約が、ときにもどかしいメディアでもある。コロナ禍で物流や人々の移動や接触が極端に制限された環境では、展覧会という人も物もリアルで交流せざるをえないメディアは大打撃を受けて、美術館は休館に追い込まれ、展覧会は次々と延期・中止された。先に述べたように、オンラインを駆使してなんとかそういう状況に対応を試みた例も数多くあったものの、リアルで接する体験には、なかなか及ばなかった。だが、そのもどかしさゆえに、ほかのメディアではかわりがきかない、展覧会として具現化するしかないものがあるということをコロナ禍を通してあらためて実感できたのも確かである。

東大の展覧会は、『きずな』という作品の不在について、それを復元した絵画そのものは展示しなかったが、展覧会として昇華することで、その全体像を複合的に「再現」することを可能にした。それは、複製画を展示するよりも、さらに立体的に『きずな』という作品、宇佐美圭司という作家を鑑賞者のもとに届けることを可能にし、展覧会というメディア以外では実現できないような時空間を作り出していた。一九六九年のベルンの展覧会を二〇一三年のヴェネチアで再現した展覧会も、展覧会を展覧会というメディアで再現することで、一三年の現在から一九六九年の過去の展示を追体験し再検証することを可能にした。建築的特徴や階数が異なる会場にオリジナルの展示が移植されたからこそ、単にタイムスリップした展示を懐かしんで体験するのではなく、常に現在の文脈や異なる時空間を目にして、直接肌で感じながら、オリジナルの展覧会についてもっと意識的に体験する機会を観る者に提供したのではないだろうか。それは、記録写真を眺めたりカタログテキストを読んだりするだけでは得られない、展覧会を展覧会というメディアで鑑賞する得がたい機会になったはずだ。同じことは、七二年の京都の展覧会を二〇一五年の東京で再演した「Re: play」展でも言えることだろう。そして、それぞれの展覧会で制作されたカタログは、会期終了後も、その得がたい一過性・一回性の展覧会を補完する存在でありつづけ、展覧会というメディアの一部になっている。

このように展覧会は、美術に出会うためのリアルな体験を鑑賞者に提供する独特なメディアであり装置である。極端な言い方をすれば、展覧会がなければ、私たちは作品を鑑賞する機会も得られない。そして、このもどかしいけれども代替がきかないメディアである展覧会を作るのはキュレーターの仕事だと言える。最後のギモンでは、いよいよキュレーターとは何をする仕事なのかをあらためて考えてみたい。

注

(1) 作品設置の経緯については、加治屋健司「宇佐美圭司 よみがえる画家」（加治屋健司編『宇佐美圭司――よみがえる画家』所収、東京大学駒場博物館、二〇二一年）五六ページ。

(2) 三浦篤／加治屋健司／清水修編『シンポジウム「宇佐美圭司《きずな》から出発して」全記録』東京大学、二〇一九年

(3) 三浦篤「宇佐美圭司展に寄せて」、前掲『宇佐美圭司』所収、一三ページ

（4）展覧会の詳細は展覧会カタログのほか、加治屋健司氏へのインタビュー（二〇二一年十一月四日）に基づく。

（5）会期は当初二〇二一年四月十三日—六月二十七日（うち四月十三日—二十七日は学内公開）の予定だったが、緊急事態宣言の延長を受け、四月十三日—六月三十日が学内公開、一般公開は事前予約制で七月一日—八月二十九日となった。

（6）「没後一年 宇佐美圭司展」セゾン現代美術館（長野）、二〇一三年十月十二日—十二月二十三日

（7）原題は、「花嫁は彼女の独身者たちによって裸にされて、さえも（通称《大ガラス》）東京ヴァージョン」（一九八〇年）。

（8）東大での「大ガラス」レプリカ制作の経緯は下記を参照のこと。「展示品解説 28 芸術における「オリジナリティ」とは何か？」、西野嘉章編『真贋のはざま——デュシャンから遺伝子まで』（「東京大学コレクション」第十二巻）所収、東京大学総合研究博物館、二〇〇一年（http://umdb.um.u-tokyo.ac.jp/DKankoub/Publish_db/2001Hazama/07/7128.html#text1）［二〇二三年十一月二十二日アクセス］

（9）Tobia Bezzola and Roman Kurzmeyer eds., *Harald Szeemann-with by through because towards despite: Catalogue of all Exhibitions 1957-2005*, Edition Voldemeer Zürich/Springer Wien New York, 2007.

（10）ドキュメント展示については、ポンピドゥー・センターのウェブサイトを参照されたい。"Magiciens de la terre, retour sur une exposition légendaire" (https://www.centrepompidou.fr/fr/programme/agenda/evenement/cpBAj4)［二〇二三年十一月二十二日アクセス］

（11）「貧しい芸術」を意味する一九六〇年代後半から七〇年代前半にかけて盛んになったイタリアの芸

術運動。鉛、鉄、石、ロープ、廃材など日常的な素材や自然物を未加工のままで作品として展示した。「態度が形になるとき」展でもアルテ・ポーヴェラの作家たちが多数参加した。チェラントは二〇二〇年に逝去。

（12）“Why and How: A Conversation with Germano Celant,” in Germano Celant ed., *WHEN ATTITUDES BECOME FORM: Bern 1969/Venice 2013*, Fondazione Prada, 2013, p. 394.

（13）Miuccia Prada, “Foreword,” in *ibid.*, p. 377.

（14）“Why and How: A Conversation with Germano Celant,” in *ibid.*, p. 418.

（15）展示の様子は、下記のウェブサイトから垣間見ることができる。“Fondazione Prada WHEN ATTITUDES BECOME FORM: BERN 1969/VENICE 2013 Exhibition video”（https://vimeo.com/149172847）［二〇二三年十一月二十二日アクセス］

（16）三輪健仁「Re: Re: play 1972/2015」、三輪健仁編『Re: play 1972/2015―「映像表現 '72」展、再演』カタログ、Vol. 02 Book 04論考・資料、東京国立近代美術館、二〇一五年、五一ページ

ギモン10　キュレーターって何をするの？

本書では、現代美術の展覧会を作るキュレーターの仕事をめぐるギモンの数々に、さまざまな角度から向き合ってきた。最後にあらためて、キュレーターとは何をする仕事なのか、という問いを考えてみたい。

本書をここまで読み進めた読者なら、「キュレーターとは何をする人か？」という問いに対して、「展覧会を作る仕事だよ」と即答できるかもしれない。確かに実務的な面だけみれば、あるコンセプトのもとに作品や作家を選定し、美術館やギャラリー、あるいは街なかなどで展覧会やアートプロジェクトを作る、というのがキュレーターの仕事のなかでも根幹をなす部分だ、と言えるだろう。だが、ここで考えたいのは、キュレーターが展覧会を作ることで何をしているのか、そして展覧会というものあるいはキュレーターという仕事がなぜ世の中で必要とされているのか、というキュレーションの哲学に対する根源的な問いである。

　ここまでみてきたように、展覧会や美術館というものは、人々が美術作品に出会うために必要不可欠な仕組みである。そしてそれを支えて、企画運営していくキュレーターもまた欠かせない存在だといえるだろう。キュレーターは、数ある作品のなかから、何をどういった文脈で、誰に向けて、どのタイミングで届けるのか、そしてそれを美術史のなかにどのように位置づけるのか、現代社会にどう還元していくのか、どのように観客に見せるのか、などさまざまな問いに対して、展覧会という形態で提示していく必要がある。また時代とともに美術の表現方法が多様化し、現代美術が取り扱う事象も領域横断的に拡張するなかで、展覧会や美術館、キュレーターのあり方も柔軟に変化していくことが求められている。特に現代美術を扱う場合、絵画や彫刻という従来のメディアも扱いながら、映像やメディアアート、パフォーマンスなどのタイムベースト・メディアや、参加型・プロジェクト型のアートも扱うなど、その範囲も多岐にわたる。形ある美術作品から形にならない美術作品にいたるまで、それぞれの表現手段によって、同じ作品でもその扱い方、展示方法、展示に必要な人的ネットワークの構築の仕方などが大きく異なる。したがって、キュレーターに求められるスキルも、美術史的・学術的な知識から異分野の専門家や企業人、地域住民とのコミュニケーション力まで、非常に幅広いものになっている。ただ、それらすべてを網羅的に一人のキュレーターが担うのは、なかなかに至難の業と言える。なので、当然、美術館などのホワイト・キューブ空間で絵画や彫刻を扱うのが得意なキュレーター、地域社会や街なかなどでの市民参加を伴うようなアート・プロジェクトが得意なキュレーターなど、それぞれの個性や専門性によって、得手不得手が出てくることは、仕方がないことだと言えるし、それ自体は大きな問題ではない。逆に適材適所で、個々の学芸員やキュレーターがそれぞれの得意とする分野を軸にして各課題に向き合い、さまざまな状況に対応していけばいいと思う。そして一人で担うことが難しければ、共同／協働でキュレーションをおこなう、もしくは専門性や得意分野が異なる人々で編成したプロジェクトチームで動くなど、キュレーションの仕組み自体に創意工夫を重ねることも必要だろう。

一方で、どのようなタイプのキュレーターであっても、キュレーターは、展覧会制作という作業を通して、何がアートなのか、そして何が作品なのかを定義づけ、価値づけて世に問うことが求められる、という重責を担う仕事である。またギモン7と8でみてきたように、展覧会制作やカタログテキストの執筆に加えて、作品の収集・保存やドキュメンテーション／アーカイブ、あるいは再展示という作業も、キュレーターにとっては大切な仕事の一部である。特に現代美術のように、その定義自体が時代とともに変化・刷新されていくアートの場合、それを扱う展覧会や作品の収集・保存のあり方そのものも絶えず更新していかなければならない。

1　変わりゆく現代美術と観客の関係性

本書でみてきたこうした現代美術を取り巻く展覧会、美術館、キュレーターのあり方の変化は、展覧会を享受する観客にも大きな変化をもたらしている。近年は、従来のコアな美術ファンや特定の年齢層、ある国や地域に限定された人々に限らず、実に幅広い年齢層からなる世界各地の文化・

社会的背景の異なる人々が美術館や芸術祭、国際展などの現代美術の展覧会を積極的に訪れたり、制作のプロセスやワークショップなどに参加したりしている。私自身、二〇〇〇年代はじめに日本の美術大学で教鞭を執っていたころは、美大生でもモネやピカソまではわかっても、アンディ・ウォーホルやジャクソン・ポロックのことは知らない、また現代美術は美術史の授業でも扱われていないため、現代美術の展覧会にもいったことがない、という学生の多さに軽い衝撃を覚えた思い出がある。だが、二〇年代に入って、一般大学の学生にアート・マネジメントの授業をする機会を再び得たときに、美術専攻でもない学生たちが、金沢21世紀美術館や森美術館などの現代美術を扱う美術館にいっていたり、越後妻有や瀬戸内など日本各地で開催されている国際的な現代美術の芸術祭を見にいっていたり、さらには大がかりな市民参加を必要とする、現代アートチーム目［mé］のプロジェクト[1]のボランティアに参加していたりすることを知り、この十年二十年で現代美術を取り巻く環境が大きく変わったことを実感した。これには大きく分けて二つの要因が考えられる。まず一つ目は、アーティストやキュレーター側からのはたらきかけに加えて、観客側もインスタグラムなどのSNSで展覧会や美術作品の情報を発信をすることが一般的になったことだ。そして二つ目は、各地で地域振興策やアートツーリズムの一環として開催される現代美術の展覧会や芸術祭を訪れる機会が増加して、現代美術が以前よりもずっと身近な存在になったことである。特にSNSをめぐる現象は、日本に限らず世界各地で巻き起こっている。例えば筆者が一九年春に上海や北京を訪れた際には、建設ラッシュで次々とオープンする現代美術を扱う中国の美術館や商業施設の一角にあるギャラリーなどどこにいっても、日本以上に、思い思いのポーズを決めてSNS映えする写真を撮影する学生たちやカップル、家族連れの姿が印象的だった。美術館や展覧会などが、観光地やおしゃれなお出かけスポットの一つになって、そこで記念撮影した写真をSNS上で発信していくことを目的にした鑑賞スタイルは、現代美術ファンの裾野を広げることに大きく貢献した。だが、こうした傾向も、ひとたびSNSのブームが去れば、現代美術もやがて、ただ消費されていく娯楽の一つと化す恐れも否定できない。とはいえ、どのようなスタイルであれ、展覧会を訪れて実物にふれる体験を得る観客が増えたり、スマホ一つで世界各地のアートにまつわる情報を瞬時に多くの人が共有できるようになったことは、それだけ現代美術に日常的に接する機会が増大し、現代美術を自分ごととして捉える人々が相対的に増えることにつながっているのも確かである。

教育の現場でも、近年は国内の大学や大学院の美術史の授業のなかで現代美術を扱う機会が増えている。さらに従来の学芸員課程に加えて、キュレーションやアートマネジメントについて専攻できるカリキュラムが飛躍的に増加した。こうした新しい教育を受けた世代が、美術館だけでなく各地の芸術祭や文化行政の現場、あるいは美術と直接は関わりがない一般企業などで活躍しながら何かしらのクリエイティブな活動に携わる場面も増えている。

また現代美術において領域横断的なアプローチが増えたことや、現代美術の展覧会やプロジェクトがインバウンドや社会包摂的な取り組みを後押しすることで、それらが届けられる観客の層も確実に広がっている。こうした実践は、普段、美術館や展覧会を訪れることがなかった子育て家庭や商店街の人々、オフィスで働くビジネスパーソン、異分野の専門家、障害者などさまざまな背景をもつ人々を招き入れることはギモン5や6でもみてきたとおりだ。一昔前は、現代美術という言葉は、「よくわからないもの」「難解なもの」というイメージで語られていたが、いまやアートと社会がますます互いに関わりあうことでその距離が縮まり、双方の親和性が高まっている。このような背景から、ビジネスの現場でもキュレーションの手法が注目を集め始めている。だが、現代美術のキュレーションは、現代美術というメディアを展覧会という特異なメディアを通して扱うという点で、単に膨大な量の情報を編集していく作業とは一線を画す。ここでいま一度、キュレーターが美術のなかでも現代美術を扱うことを考えてみよう。

2　現代美術キュレーターという仕事

二〇一五年に刊行した前著『現代美術キュレーター・ハンドブック』ですでに、キュレーターやキュレーションという言葉が美術のジャンルを超えて一種のブームになっていると紹介したが、二〇年代に入ってその傾向にはますます拍車がかかっていると実感する。ある意味、キュレーターやキュレーションという言葉は、美術の文脈から離れて独り歩きしはじめ、広くなんらかの情報を「収集、整理、編集、発信していく仕事」[2]という意味合いで用いられるようになっている。そのなかで、本書のタイトルにキュレーターという言葉の前に現代美術と冠したのは、そうした多々あるキュレーター、キュレーションとは一歩距離を置いて、あえて本来の意味での狭義の「美術の展覧会を作る仕事」について、なかでも現代美術を扱う展覧会に特化して、その歴史的な背景や美術史の言説、近年の国内外の社会事象や現代美術の動向なども踏まえて、あらためてこの仕事を見つめ直してみたいという意図があった。

ここで、「現代美術はなんでもアリなのか？」というはじめのギモンを再び思い出してみよう。これまでのギモンで考えてきたように、キュレーターが作る展覧会という仕組みがあるかぎり、現代美術はなんでもアリではない。むしろ逆説的ではあるが、展覧会をはじめとする美術の文脈や言説のなかで成立するものこそが現代美術なのだと言えるのではないだろうか。西洋生まれの展覧会や美術史、その延長線上にある現代美術は、それぞれ姿や形を変え、世界のより広い地域を巻き込みながらも、美術をめぐるものごとを考えていくうえで外すことができない枠組みである。そしてキュレーターが、こうした言説生成のプロセスに大きく関わっていることは明らかだろう。もちろん、キュレーターだけではなく、アーティスト自身や美術史家、美術評論家、ジャーナリスト、社会学者などの専門家、さらには一般の観客も含めたさまざまな人々が鑑賞、観察、表現、評価してはじめて、現代美術は美術史や社会のなかに受容されていくものである。そして一見まったく異なる表現手段やアウトプットの仕方を取っていても、それが作品や展覧会として人々のもとに届けられるとき、現代美術だからこそ人々に伝わっていくのではないだろうか。つまり展覧会というフォーマットと現代美術とは切っても切れない関係にあり、現代美術キュレーターはそれらを紡ぎ合わせて社会に届ける役割を担うものだと思う。それはとりもなおさず、現代美術そのものが、過去の歴史も含めたいまの私たちの社会の姿、あるいはその少し先の未来の姿を映し出す鏡のような存在であり、同時に常に新しい実践を柔軟に取り入れて挑戦しつづける、非常に懐が深いメディアであることとも強く関係している。

3　現代美術の展覧会が届けるもの

現代美術をキュレーションすることで、社会に山積する課題が即座に解決されるわけではない。だが、現代美術が私たちの過去や現在、その先の未来の社会を映し出す鏡である以上、それらの課題にキュレーターやアーティストが向き合わざるをえないことも事実である。展覧会がアナログでもどかしいメディアであることはギモン9でも述べた。だが、このリアルな体験に基づく展覧会が、いまなお生きながらえているのは、やはり、このアナログなメディアこそが現代美術を伝えるうえで、最も適した媒体であるからだろう。そしてコロナ禍によって人々の移動や行動が極度に制限され、美術館や展覧会という直接的な体験が必須のメディアが大打撃を受けたことで、かえってその本質がより鮮明にあぶり出されたとも言える。先のギモンでも紹介したように、コロナ禍で美術館が休館して展覧会が中止・延期を余儀なくされたなかでも、オンラインやVRなどのテクノロジーを駆使して、さまざまなクリエイティブな試みが実施された。これらは単なるリアルな体験の代用としての役割を超えて、居住地や時差、障害の有無を問わず、オンラインでの視聴体験を可能にするなど、これまでアクセスが難しかった人々にも門戸を開くことになった。しかしながら、実際の展覧会の時空間に身を置いてその場の空気を感じ取ったり、作品を画面越しではなく、直接見たり、聴いたり、触ったり、身体全体を使って体験したりするという経験に、ほかのメディアが取って代わることは難しい、と展覧会が三年近いコロナ禍を経て再開されたいま、あらためて実感する。ギモン2でも述べたように、展覧会は、わざわざ展覧会が開催されている会期に、ある会場まで出かけて、一定の時間をかけないと鑑賞することはできない。しかも展覧会自体は、その場一回限りの体験である。だが、だからこそ人々は実物に向き合ったり、プロジェクトに参加したり、ほかの人とアートを通して新しいつながりをもったりすることの大切さをかみしめられるのではないだろうか。

現代美術の展覧会に赴くことで、私たちはなんらかの喜びを得たり、普段の生活のなかでは思いもよらなかった気づきを得たりすることがある。アーティストが、そういう豊かな思考を促すような作品を作り出す存在であるなら、その現代美術のあり方を展覧会として社会に問いかけるキュレーターもまた、そのときどきで求められる問いや社会課題、未来への警鐘や希望を提示していく存在なのだ。そして観客は、その展覧会を実際に訪れて、展覧会という時空間のなかに身を置いて肌で感じることで、それらの問いを自らが抱えている課題と照らし合わせたり、新たな視点を見いだしたり、困難な時代を生き抜くための力を得たりしていく。

本書を執筆している最中に、コロナ禍やロシアによるウクライナへの軍事侵攻やイスラエルのパレスチナ軍事侵攻など、世界中の人々を巻き込むような危機的な状況に直面した。それらの多くはいまだに最終的な解決にはいたっておらず、混迷の渦中にいる。加えて地球規模での気候変動や自然災害、新自由主義の台頭やグローバリズムの終焉など、複合的な要因から、世界のあらゆるところで格差や分断が生まれている。このような先が見えない時代だからこそ、私たちの社会の来し方行く末を映し出す現代美術の展覧会を作り出すキュレーションの力がますます求められていくだろう。

現代美術キュレーターを取り巻く10のギモンはこれで終わりを迎えるが、これらのギモンへの答えは、それぞれの読者がこれからも実際にさまざまな展覧会に足を運び、自身の関心と結び付けながらその答えを探しつづけていってほしい。本書を読んだことで、展覧会について前とは少し違った見方ができるようになったり、何かを考えるきっかけが生まれたりしてくれることを願う。また、実際に展覧会の企画に関わる仕事に従事している学芸員やキュレーターは、おそらく日々の目の前の業務に忙殺されていることと思う。しかしいま一度、この展覧会を作る、という行為が、人々に何をもたらしうるのか、ということを自らに問いかけながら、現代美術キュレーターという仕事を楽しんでほしい。世の中にはやはり現代美術の展覧会を通してしか伝わらない、何物にも代えがたいものがある。そしてアナログでもどかしいこの展覧会というメディアを現代美術キュレーターは、今日もまた作りつづけていく。

注

（1）現代アートチーム目［mé］による「まさゆめ」：年齢や性別、国籍を問わず世界中から広く募集した顔のなかから選ばれた「実在する一人の顔」を二〇二一年夏に東京の空に浮かべる、というプロジェクト。準備から実現にいたるまで、約三年にわたって多くの人々を巻き込みながら実施されたプロジェクトだった。「まさゆめ」(https://masayume.mouthplustwo.me)［二〇二三年十一月二十二日アクセス］

(2) 拙稿「はじめに」『現代美術キュレーター・ハンドブック』青弓社、二〇一五年、一三ページ

あとがき

本書は、もともとウェブ連載として二〇一九年六月から二二年十一月まで青弓社の連載読み物サイト「WEB青い弓」に掲載した原稿に最後の二章の書き下ろしを加えてまとめたものだ。連載当初は、東京オリンピック・パラリンピック大会と二五年開催の大阪・関西万博の間というタイミングで、一度、現代美術のキュレーターにまつわるもろもろのギモンをなんらかの形でまとめたい、と考えていた。連載中にコロナ禍やウクライナ情勢など、まったく予想もしない危機的な出来事が地球規模で起こり、しばらくは思考停止に陥り、何も書くことができない時期もあった。だが、最後までなんとか執筆できたのは、坂本龍一さんの存在が大きい。そもそもこの本を書くことになったのは、坂本さんとのやりとりがきっかけだった。

坂本さんとは彼がゲストディレクターを務めた札幌国際芸術祭2014でご一緒したことが縁で、アートや音楽に限らずさまざまな話をするようになった。そのなかで、二〇一八年の秋口ごろから展覧会や作品の「時間」の問題や作家が作品として何かを表現をすることについて、また文化の表象にまつわる話などをする機会があった。こうした展覧会やキュレーションに関わる疑問についての考えをまとめて本にしてみたい、と言ったら、「それ読んでみたいです」とおっしゃったので、これはとにかく書かなくては、と本書の企画がスタートした。そのときのやりとりの一部は、本書ギモン2の時間をめぐる考察のもとになっているほか、いくつかのギモンの章立てを考えるうえで構成要素の柱になっている。

さらには二〇二一年三月に北京のMWOODS Museum（木木美術館）で坂本さんのこれまでのアート作品を紹介する大規模な個展を開催するにあたり、筆者が日本側キュレーターとして関わることになった。展覧会がオープンした二一年春はコロナ禍の真っただなかで厳しい水際対策が課せられていたが、日本側から総勢十二人のアーティストとスタッフで渡航した。北京への直行便の乗り入れが停止になり、大連で三週間の隔離のあと十二日間の北京での設営を経て、日本に帰国後も二週間の隔離、という過酷な環境での展覧会実施だった。私自身は、感染拡大前の二〇一八年十二月に北京を訪れて会場の下見を果たしていたが、坂本さんは開館間近の建設中の現場を一八年一月初頭に訪れただけで、ほかのアーティストやスタッフは一度も会場を見ることができない状況での準備になった。中国側との打ち合わせは随時オンラインでおこない、会場のビジュアルな情報は、写真に加えて図面に対応するようなウォークスルーのビデオを作成してもらって共有し、作品のクレート（木箱）の搬入の一部は、隔離先のホテルからリモートで立ち会うことになった。それでも中国側の若いスタッフと日本側のアーティストやスタッフ双方のチームがお互いにしっかりとコミュニケーションをとり、最終的には奇跡的にやり遂げることができた。残念ながら会期中は、中国国内でも北京への移動制限があり、海外はおろか中国国内の観客にも十分に見てもらうことはかなわなかったが、それでも約九万六千人が来場してくれた。また、展示作品の一つ『IS YOUR TIME』は、展覧会情報などのメール配信サービスで知られるe-fluxのオンライン・プラットフォーム上で、サウンド・アーカイブのシリーズの第一弾としてアーカイブ化された。[2] アーカイブでは、展示の際に会場で録音された音と、作家へのインタビューテキストやキュレーターのテキストをあわせて掲載した。こうした試みはカタログだけでは記録を残しにくい音を使った作品のドキュメント方法に一石を投じるものになった。

パンデミックの最中での展覧会のキュレーションに携わったことで、展覧会というメディアを通してしか伝えられないものがある、ということをあらためて身をもって経験できた。また、本書の連載を一時的に中断して思考停止に陥った際に、再度、展覧会を作ることについてのギモンに向き合おうという気持ちになったのも、北京での展覧会があったことが大きい。執筆に時間がかかってしまい、最終的には本書を坂本さんにお届けすることはかなわなかったが、多くの刺激を与えていただき、貴重な機会を作っていただいたことに感謝するとともに、心からのご冥福をお祈りしたい。また坂本さんからは、本書では書ききれなかったたくさんの宿題をいただいているので、今後、展覧会や執筆など、また別の場所で発表していきたい。

最後にむすびにかえて、本文ではふれられなかった最近のキュレーションの動向で気になっているトピックを二つほど取り上げたい。

一つ目は、学芸員やキュレーターの過酷な労働環境についてである。日本の公立美術館は、指定管理者制度の導入に伴い、地方自治体の直営ではなく、財団や私企業が管理をおこなうケースが大半になっている。そのなかで学芸員のポジションは有期契約や非正規雇用によるものが多く、また賃金も、求められる専門性やタスクに比してかなり低く設定されていることがほとんどである。フリーランスの場合は、その条件もさらに過酷なものになる。報酬の問題は、キュレーターに限らず、同じくフリーランスとして仕事をしているアーティストの多くやテクニカルのエンジニア、アドミニのスタッフ、コーディネーターなども国や地方自治体、公立館が一昔前に設定した低い賃金体系のままで仕事を受けざるをえない環境に置かれていることが多い。また、不安定で厳しい労働環境のためにキャリア形成と子育ての間で悩む人も数多い。近年は日本でも男性学芸員が積極的に育児休暇を取得したり、学芸出身の女性館長などの管理職が相次いで就任したりするなど少しずつ変化の兆しはみえているものの、こうしたワークライフバランスがとれた環境づくりは、フリーランスの人材も含めて喫緊の課題である。これには、当事者同士でも、もっと声をあげていかなければならないだろう。どんなにいい企画も、自分自身が心身を壊したり生活基盤を失ったりしていては元も子もない。「アーティスト報酬ガイドライン」は、国内でも少しずつ制定に向けた動きが出始めている。またアーティストによる労働組合アーティスツ・ユニオンも二〇二三年に結成されている。[3]同様に、キュレーターやコーディネーターなどについても、このようなガイドラインや仕組みづくりを考えていくべきだと思う。

もう一つは、SDGs（持続可能な開発目標）の観点からみる、サステナブルな展覧会のあり方についての動向である。コロナ禍と前後して、近年、サステナブルな展覧会のあり方が、ICOM（国際博物館会議）やCIMAM（国際美術館会議）などの全世界的な美術館・博物館組織でも盛んに議論されている。[4]気候変動は地球規模の問題であり、美術館や博物館にとっても避けては通れない課題になっている。展示や収蔵庫の温湿度管理に欠かせない電力は、ウクライナ情勢と相まってエネルギー問題と直結している。展覧会のたびに造作と廃棄を繰り返す仮設壁や展示什器のあり方についても見直しが始まった。またコロナ禍の移動制限で、展覧会実施ではアーティスト、キュレーター、クーリエが大きな影響を受けたことは本文でも述べたが、テートはいち早くコロナ禍の二〇二一年一月に、作品の貸し出しの際に作品輸送と展示に同行することが原則だったクーリエを「バーチャル・クーリエ」とすることを定め、この措置はコロナ禍後も継続していくという。[5]こうした動きが非常に大切だということは間違いない。だが、先にギモン10でも述べたように展覧会はアナログなメディアであることに変わりはなく、クーリエも、国や地域によっては派遣元と同程度のスキルをもって対応にあたることができる現地の人材が確保できない、もしくはインフラが整っていないところもあり、どこでもバーチャルで対応できるとはかぎらない。こうした動きを注視しながらも、できるところから一つずつ手と頭を動かしながら実践を積み重ねていくほかはないだろう。

また、アーティストはこのような状況にいち早く敏感に作品を通して応答しはじめている。例えば持田敦子は二〇二二年から自身の活動拠点である長野県飯田市で、地元の解体業者と相談しながら空き家をゆるやかに創造的に解体するという「解体」プロジェクトを展開している。[6]持田が解体の手順やその見せ方に積極的に介入していくことで、その家がもっている個性や時間の積み重ねが可視化されていき、新たな価値が見いだされていく。さらに、実施費用をプロジェクト経費から賄うことで、家主が本来負担すべき解体費用自体も軽減されることを目指す。また解体のプロセスを一般公開することで、空き家が地域の文化・観光資源になる可能性を開く。今後は、こうしたサステナブルな展覧会やアートプロジェクトのあり方をキュレーターも一緒に協働していくことがますます求められるだろう。

本書のギモン1では、私自身がキュレーターを志すきっかけになったビル・ヴィオラの展示について述べた。展覧会を企画するきっかけは、前著『現代美術キュレーター・ハンドブック』でも述べたが、普段の生活のなかで感じた気づきや疑問、人との出会いや会話のなかから生まれることが多い。書籍を書くきっかけもまた、振り返れば、自分自身の人生のターニング・ポイントになったいくつかの出来事や、自身が携わった展覧会に密接に関わっていると、「あとがき」を執筆しながらつくづく思う。本書で取り上げたギモンの数々は、どれも自分がキュレーターとしての実践を重ねながら、日々、感じたり考えたりしてきたことから始まっている。だが、こうした個人的に向き合ってきた問いをあらためて書籍として広く世に問うことで、読者の方々も自分ごととして展覧会やキュレーターに関することを捉え直して、展覧会というものをさらに深く楽しんでいただければ幸いである。

本書を執筆するにあたり、コロナ禍の最中は図書館の利用や海外の書籍の入手などにも制限がかかり、オンラインでのリサーチの比重が大きくなった。インタビューも対面ではなくメールやオンラインを通じておこなったが、多くの方々のご協力を得て、たくさんの知見を得ることができた。

特に加藤瑞穂氏、野中祐美子氏、三輪健仁氏、吉崎元章氏、橋本梓氏、ピップ・ローレンソン(Pip Laurenson)氏、加治屋健司氏には、本書で取り上げた作品や展覧会について、それぞれ貴重な情報や見解をご提供いただき感謝を申し上げたい。また『現代美術キュレーターという仕事』『現代美術キュレーター・ハンドブック』に続いて青弓社の矢野未知生氏には大変お世話になった。はからずも「現代美術キュレーター」をめぐる三部作を世に出すことができたのは、矢野氏の辛抱強く温かいサポートのおかげである。あらためて感謝を申し上げたい。そしてこれらの書籍の執筆とともに展覧会を作り出すキュレーターとしての実践を続けていくうえで、これまで実に多くの国内外のアーティスト、キュレーター、友人、知人、先輩方、仲間、家族に本当にお世話になった。この場をお借りしてみなさまに心からのお礼を申し上げるとともに、これからも懲りずに現代美術キュレーターという仕事に真摯に向き合っていきたい。

二〇二三年　初秋

難波祐子

注

(1)「坂本龍一：观音听时｜Ryuichi Sakamoto: seeing sound, hearing time」MWOODS Museum(木木美術館)北京、二〇二一年三月十五日―八月八日

(2)"IS YOUR TIME"(https://yctm.e-flux.com/introduction)[二〇二三年十一月二十二日アクセス]

(3)「アーティスト報酬ガイドライン」の制定については次を参照のこと。「art for all が目指す「アーティスト報酬ガイドライン」の制定。実現に向けた座談会(前編)」「美術手帖」二〇二二年十一月二十六日(https://bijutsutecho.com/magazine/series/s64/26369)[二〇二三年十一月二十二日アクセス]、「アーティスツ・ユニオン」ウェブサイト(http://artistsunion.jp)[二〇二三年十一月二十二日アクセス]

(4)美術館でのサステナビリティについては次の記事を参照のこと。片岡真実「CIMAM会長・片岡真実が説く、美術館におけるサステナビリティへの取り組みの重要性」「美術手帖」二〇二一年九月五日(https://bijutsutecho.com/magazine/insight/24535)[二〇二三年十一月二十二日アクセス]

(5)テートが定めたクーリエの新しい方針とガイドラインは次を参照のこと。"Tate Courier: Principles and guidelines," Jan. 2021(https://cimam.org/documents/152/Tate_Courier_Principles_January_2021_HYhHxEQ.pdf)[二〇二三年十一月二十二日アクセス]

(6)「解体/Unbuilding」(https://atsukomochida.jp/works/deconstruction/)[二〇二三年十一月二十二日アクセス]

［著者略歴］
難波祐子（なんば さちこ）
キュレーター、NAMBA SACHIKO ART OFFICE 代表、東京藝術大学キュレーション教育研究センター特任准教授
東京都現代美術館学芸員、国際交流基金文化事業部企画役（美術担当）を経て、国内外で現代美術の展覧会企画に関わる
著書に『現代美術キュレーターという仕事』『現代美術キュレーター・ハンドブック』（ともに青弓社）など。企画した主な展覧会に「こどものにわ」（東京都現代美術館、2010年）、「呼吸する環礁（アトール）――モルディブ－日本現代美術展」（モルディブ国立美術館、マレ、2012年）、「大巻伸嗣――地平線のゆくえ」（弘前れんが倉庫美術館、青森、2023年）など。また坂本龍一の大規模インスタレーション作品を包括的に紹介する展覧会（2021年：M WOODS ／北京、23年：M WOODS ／成都、24年：東京都現代美術館）のキュレーターを務める。札幌国際芸術祭2014プロジェクト・マネージャー（学芸担当）、ヨコハマ・パラトリエンナーレ2014キュレーター

現代美術（げんだいびじゅつ）キュレーター10のギモン

発行――2023年12月28日　第1刷
定価――2000円＋税
著者――難波祐子
発行者――矢野未知生
発行所――株式会社青弓社
〒162-0801 東京都新宿区山吹町337
電話 03-3268-0381（代）
http://www.seikyusha.co.jp
印刷所――三松堂
製本所――三松堂

ISBN978-4-7872-7459-5　C0070

難波祐子

現代美術キュレーター・ハンドブック

展覧会を通して時代の新たな感性を提案するキュレーターという仕事の醍醐味を紹介し、仕事の実際の姿を実務的な展覧会の企画から実施までの経過に沿って具体的に解説する手引書。定価2000円＋税

難波祐子

現代美術キュレーターという仕事

「学芸員」からグローバルで今日的な「キュレーター」へという1950年代から現在までの日本での変遷を追い、展覧会を企画・運営して価値観を創造するその魅力を明らかにする。　定価2000円＋税

暮沢剛巳

ミュージアムの教科書

深化する博物館と美術館

国内外の重要なミュージアムをピックアップし、各館の歩みや社会的な役割を解説する。ミュージアムをめぐる思想や政治性も検証して、メディアとしての可能性を描き出す。　定価2400円＋税

桂 英史

表現のエチカ

芸術の社会的な実践を考えるために

芸術家は、なぜ自らの表現を発表することで社会に何かを伝えようとするのか。「行為の芸術」としてのインターメディアを出発点として、多様な表現の実践を倫理の観点から論じる。定価2600円＋税